スペイン語力養成ドリル2000題

Shingo KATO
加藤伸吾
著

白水社

装丁：阿部賢司（silent graph）

はじめに

　最近、日本でのスペイン語圏に対する興味は、年々高まっているように思われます。スペイン語を学習したいという人、そしてその方たちの熱意も、次第に上がっているように感じられます。
　スペイン語の教員として、そのような老若男女、高校・大学生から社会人、引退された方まで、多くのやる気にあふれた学習者の方々と日々接していますが、そこでよく耳にするのが、「文法の説明はなんとなく分かったので、あとは問題練習をたくさんやりたい!」という声です。一方で、担当した授業のアンケートなどで、「問題練習が難しく挫折してしまった」という声も、実はこれまで多くありました。
　そういった声に応えたいとの思いで書いたのが、本書です。このドリルでは、上のような学習者の皆さんの声も踏まえて、以下のことを目指しました。

①初学者がつまづきやすいと思われる文法項目を集中的に、
②似た問題を繰り返し解きながら、
③問題のレベルが少しずつ上がっていき、気がつけば、ある程度難しい問題も解けるようになる。

　「この本の使い方」に従いこのドリルを何度も解いていけば、どんな方でもスペイン語力が確実に身に付くように作ってあります。
　早速ページをめくって、問題を解き始めてみてください。
　このドリルが、今よりもっと多くの方にとって、継続的にスペイン語を学習する、そしてそのスペイン語を話す人びとの世界にさらなる興味を持つ、そのきっかけになってくれれば、これ以上のことはありません。
　最後に、以下の皆さんに、心からの感謝の意をささげたいと思います。まずは担当の白水社鈴木裕子さん。そして、これまで筆者が学生時代よりお世話になっている先生方や、スペイン語教員として職場を同じくしたことのある先生方。筆者がこれまで担当したクラスの受講者の方々も、このドリルに多くのヒントをくれました。そして、スペイン語学習に携わる、全世界の全ての先生方と学習者の方々。皆さんなくして、この本は生まれませんでした。本当に、ありがとうございます。
　内容に関する責めは、無論著者に帰します。ご意見・ご感想をお待ちしています。

2012年　春　　　筆者

目　次

はじめに　3

この本の使い方　6

1	アルファベット／母音と子音／音節／正書法	7
2	アクセントとアクセント記号／名詞	10
3	冠詞／形容詞	15
4	指示形容詞／指示代名詞／所有形容詞／所有代名詞	19
5	動詞と主語・主格人称代名詞／ser／estar／haber／疑問詞	23
6	直説法現在	30
7	目的語と目的格人称代名詞	37
8	gustar 型動詞と前置詞格人称代名詞	46
9	再帰動詞（代名動詞）	51
10	否定語と不定語	56
11	比較級と最上級	62
12	天候・時間	71
13	直説法点過去（単純完了過去）	76
14	直説法線過去（未完了過去）	83
15	過去分詞（完了分詞）と現在分詞（未完了分詞）	87
16	直説法現在完了（複合完了過去）／直説法過去完了（大過去）	91

17	過去形の使い分け	96
18	受動文（ser［estar］＋過去分詞）／se＋3人称	100
19	直説法未来／直説法過去未来	104
20	直説法未来完了／直説法過去未来完了	109
21	関係詞	113
22	接続法現在／接続法過去／接続法現在完了／接続法過去完了	117
23	接続法の用法1（名詞節／形容詞節／副詞節）	123
24	接続法の用法2（命令文／独立用法／仮定文［現在と過去の非現実］）	129

解答　140

数詞一覧　174

この本の使い方

▶ **文法説明について**
- 文法説明は、皆さんが一度どこかで文法の説明を受けているとの想定のもと、簡略化してあります。皆さんがすでにお持ちの教科書や参考書など、そして何より、辞書を横に置きながら解き進めてください。

▶ **解き方について**
- 問題には解答欄が用意されていますが、できれば別紙に答えを書き、そこで丸つけしてください。そして、出来なかった問題は、小問の問題番号に丸をつけてください。
- 一度全部解いたら、もう一度最初からやり直してみてください。そして、それを何度も繰り返してみてください。その度に、小問につける丸の色は変えた方がいいでしょう。
- 問題によっては、何回やっても間違えてしまい、番号にいくつも丸がつくものが出て来ます。それがあなたの弱点です。

▶ **問題のレベルについて**
- 問題は「基礎編」と「応用編」に分かれます。
- 「基礎編」は、問題の番号が**1**, **2**, **3**と白抜き文字になっています。文法の規則を確認するための問題です。特に繰り返して解き、納得行くまで習った文法の規則を確認しましょう。
- 「応用編」は、問題の番号が1, 2, 3となっています。「基礎編」で定着した文法の規則を、和訳、スペイン語訳などで確認する問題です。ここでも、「なぜこの問がこの解答となるか」を、解説も参照しながら確認してください。

▶ **単語や表現について**
- 登場する単語数は極力少なめにしてあります。最初の何章かでは、訳語もついています。また、文章の穴埋め問題の多くにも、日本語の訳文がついています。
- とはいえ、初めて見た、あるいは忘れてしまった単語や表現が出てきたら、必ず別に単語帳を作り、そこに書きとめておいてください。カード型、ノート型、パソコンなどをつかったもの、形はなんでも構いません。自分のためだけにカスタマイズした表現集を作ってください。

1 アルファベット／母音と子音／音節／正書法

スペイン語のアルファベットは以下の 27 個です。

A	a	a（ア）	Ñ	ñ	eñe（エニェ）
B	b	be（ベ）	**O**	**o**	o（オ）
C	c	ce（セ）	P	p	pe（ペ）
D	d	de（デ）	Q	q	cu（ク）
E	**e**	e（エ）	R	r	ere／erre（エレ）
F	f	efe（エフェ）	S	s	ese（エセ）
G	g	ge（ヘ）	T	t	te（テ）
H	h	hache（アチェ）	**U**	**u**	u（ウ）
I	**i**	i（イ）	V	v	uve（ウベ）
J	j	jota（ホタ）	W	w	uve doble（ウベ・ドブレ）
K	k	ka（カ）	X	x	equis（エキス）
L	l	ele（エレ）	Y	y	ye（ジェ）／i griega（イ・グリエガ）
M	m	eme（エメ）			
N	n	ene（エネ）	Z	z	zeta（セタ）

太字の 5 つの文字は**母音字**、それ以外は**子音字**といいます。

▶ **二重母音**：母音を 2 つ重ねて 1 つの母音（単母音）と数えます。
　〈a／e／o（強母音）〉＋〈i／u（弱母音）〉：
　　ai（ay＊）／ei（ey＊）／oi（oy＊）／ia／ie／io／au／eu／ou／ua／ue／uo
　〈i／u（弱母音）〉＋〈i／u（弱母音）〉：
　　iu／ui（uy＊）
▶ **三重母音**：母音を 3 つ重ねて 1 つの母音（単母音）と数えます。
　　iai／iei／uai（uay＊）／uei（uey＊）　　＊末尾が y になるのは単語の末尾のみ
▶ **二重子音**：子音を 2 つ重ねて 1 つの子音（単子音）と数えます。
　　bl／br／cl／cr／fl／fr／gl／gr／pl／pr／dr／tr

▶ **音節**とは、「ひとまとまりと感じられる音の単位」です。
音節を分けるときのルール：
- 母音字同士、子音字同士の組合せは、上のもの以外「1つ」として扱えません。
    ai-re 空気（二重母音で母音1つ）　　ca-c**a**-o カカオ（単母音が2つ）
    ma-**dr**e 母（二重子音で子音1つ）　　fo**n**-**d**o 奥（単子音が2つ）
    ro**s**-**tr**o 顔つき（単子音s＋二重子音tr）
- 母音と母音の間に子音が1つ（単子音、二重子音に加え、ch／ll／rrも1つとして扱う）の場合、その子音は後ろの母音につけます。
    mo-**z**o 若者（oとoの間のzは後ろの音節）　　Pe-**dr**o（eとoの間に二重子音dr）
    co-**ch**e 車（oとeの間にch）　　ja-**rr**a ジョッキ（aとaの間にrr）
- 母音と母音の間に子音が2つの場合、前と後ろの母音に1つずつつけます。
    co**n**-**t**ar 数える（oとaの間にnとt）　　e**s**-**tr**e-lla 星（eとeの間にsとtr）
- 母音と母音の間に子音が3つの場合、前2つは前の母音、残り1つは後ろにつけます。
    o**bs**-**t**á-cu-lo 障害物（oとaの間にbsとt）　　i**ns**-**tr**u-men-to 楽器（iとuの間にnsとtr）

▶ **正書法**上読みと綴りに要注意：
カ行：　カ ca － ケ **que**（× ce）－ キ **qui**（× ci）－ コ co － ク cu
ガ行：　ガ ga － ゲ **gue**（× ge）－ ギ **gui**（× gi）－ ゴ go － グ gu
　　　　cf. グェ güe　グィ güi
ハ行：　ハ ja － ヘ je／ge － ヒ ji／gi － ホ jo － フ ju　（ノドに呼気を強く当てて発音）
　　　　cf. ha － he － hi － ho － hu の h は無音となります。
サ行：　サ sa － セ se － シ si － ソ so － ス su　（日本語の発音に近い）
　　　　サ za － セ **ce** － シ **ci** － ソ zo － ス zu　（英語の th の発音に近い）
　　　　cf. セ ze とシ zi は固有名詞、外来語のみ。
ジャ行：ジャ lla － ジェ lle － ジ lli － ジョ llo － ジュ llu
　　　　ジャ ya － ジェ ye － ジ yi － ジョ yo － ジュ yu

練習 1
Ejercicios

(解答：140 ページ)

1 例にならって、あなたの名前をローマ字で書き、一文字ずつスペイン語の読み方にして、それを声に出してゆっくり読んでみましょう。

例) Taro → te a ere o　　María → eme a ere i a

2 次の略記号を声に出して読んでみましょう。

1) CD コンパクトディスク　　2) TV テレビ　　3) UE 欧州連合
4) DVD DVD　　5) NHK 日本放送協会　　6) DNI 身分証明書
7) SMS ショートメール　　8) PIB 国内総生産　　9) ONU 国際連合
10) IVA 付加価値税　　11) PVP 希望小売価格　　12) ADN DNA（デオキシリボ核酸）
13) AVE スペイン高速鉄道　　14) OVNI UFO　　15) UNAM メキシコ国立自治大学

3 次のスペイン語の単語を、音節に分けましょう。

1) ajo にんにく　　2) pelo 髪　　3) mano 手
4) cara 顔　　5) vaca 雌牛　　6) baño トイレ
7) zapato 靴　　8) amigo 友達　　9) bonito 美しい
10) comida 食事　　11) otoño 秋　　12) medicina 薬
13) ducha シャワー　　14) billete チケット　　15) torre 塔
16) maquillaje 化粧　　17) guitarra ギター　　18) carne 肉
19) Japón 日本　　20) pescado 魚　　21) español スペイン語
22) hermano 兄弟　　23) península 半島　　24) Salamanca サラマンカ
25) facultad 学部　　26) verdura 野菜　　27) universidad 大学
28) circunstancia 環境　　29) cielo 空　　30) aire 空気
31) juego 遊び　　32) piano ピアノ　　33) cuello 首
34) lluvia 雨　　35) barrio 地域　　36) bienvenida 歓迎
37) cuaderno ノート　　38) béisbol 野球　　39) estudio 勉強
40) continuo 続きの　　41) ciudad 街　　42) despacio ゆっくりと
43) museo 美術館、博物館　　44) paella パエーリャ　　45) pingüino ペンギン
46) tío おじ　　47) búho ミミズク　　48) Uruguay ウルグアイ
49) clase 授業　　50) grande 大きな　　51) alegre 陽気な
52) palabra 単語　　53) letra 文字　　54) nombre 名前
55) simple 単純な　　56) control 管理　　57) ejemplo 例
58) librería 書店　　59) construcción 建設　　60) aeropuerto 空港

2 アクセントとアクセント記号／名詞

▶アクセント
　単語を音読した時、ある音節の母音で音程が少し上がります。これを、その音節に**アクセント**があるといいます。どこにアクセントがあるかには、2つの規則があります。
①語尾がnとs以外の子音の場合は、最後の音節にアクセントがあります。
　　　ciu**dad** 都市　　com**prar** 買う
　　　Uru**guay** ウルグアイ（uとaでは強母音のaの音程を上げる）
②語尾がnかs、もしくは母音の場合は、後ろから2番目の音節にあります。
　　　o**ri**gen 起源　　con**ti**nuo 続きの　　**pla**za 広場
　　　viejo 古い（iとeでは強母音のeの音程を上げる）

　アクセント記号をつけることがあります。
- 上の規則にはずれる場合
　　　car**á**cter 性格　　autob**ú**s バス　　caf**é** コーヒー　　magn**í**fico 豪華な
- 〈強母音＋弱母音〉の二重母音のうち弱母音にアクセントを置く場合
　　　cafeter**í**a 喫茶店　　pa**í**s 国　　t**í**o おじ　　Ra**ú**l　　gr**ú**a クレーン　　b**ú**ho ミミズク
- 同じ音で意味が違う場合
　　　a**ú**n まだ /aun ～でさえ　　**é**l 彼は /el（冠詞［☞第3章］）　　s**í** はい /si もし
　　　t**é** 紅茶 /te 君を
- 疑問詞［☞第5章］

▶名詞
　人や物の名前のことを**名詞**といいます。スペイン語の名詞には、生物かどうかに関係なく男女の性別があり、それぞれ**男性名詞**と**女性名詞**といいます。生物の場合は、生物学上の性に従います。
- 多くの場合、男性名詞は語尾がo、女性名詞はaとなります。
　　　amigo /amiga 友達　　alumno /alumna 生徒　　tío /tía おじ・おば　　gato /gata 猫
- 生物か無生物かを問わず、語尾がoやa以外のものも多数あります。生物で語尾が -dor /-sor /-tor /-án /-ín /-ón の場合、女性名詞とするにはaをつけます。
　　　profe**sor** /profe**sora** 先生　　direc**tor** /direc**tora** 監督
- 語尾を見て女性名詞と判別できるものがあります。
　　　esta**ción** 駅　　discu**sión** 議論　　cone**xión** つながり
　　　universi**dad** 大学　　liber**tad** 自由　　magni**tud** 尺度

- 生物の場合、一部は男女同形となります。
    - estudiante 学生　　pianista ピアニスト　　joven 若者
- 同じつづりでも性によって意味が変わるものもあります。
    - orden （男）順序・（女）命令　　capital 資本・首都　　editorial 社説・出版社
- 男女を含むものの名詞としての性が固定されることもあります。
    - miembro メンバー　　persona 人物　　testigo 証人　　víctima 犠牲者
- 同じものでも男性名詞と女性名詞で全くつづりが異なるものがあります。
    - hombre / mujer 男・女　　padre / madre 父・母　　actor / actriz 俳優
    - toro / vaca ウシ

▶ 名詞の複数形の作り方

- 語尾がアクセントのない母音の場合、そのまま s をつけます。
    - estudiante → estudiante**s**　　profesora → profesora**s**　　tía → tía**s**
- 語尾が子音の場合、es をつけます。
    - universidad → universidad**es**　　profesor → profesor**es**　　mes → mes**es** 月
- 単複同形の名詞があります。
    - paraguas かさ　　martes 火曜日　　crisis 危機　　cortaúñas つめ切り
- 語尾がアクセント記号のある母音の場合、複数形は 2 通りあります。
    - ① café → café**s**　　mamá → mamá**s** お母さん　　（強母音＋アクセント記号）
    - ② tabú → tabú**es** タブー　　bambú → bambú**es** 竹　　（弱母音＋アクセント記号）
- 単数形か複数形かで、アクセント記号が付いたり外れたりすることがあります。
    これは、単数形のアクセントの位置と、アクセント記号の規則の関係によります。
    - ex**a**men → ex**á**menes　　estaci**ó**n → estaci**o**nes
- 複数形にすることで、正書法上綴りが一部変わる名詞があります。
    - lápi**z** → lápi**c**es 鉛筆　　actri**z** → actri**c**es
- 複数形にすることで、アクセントの位置が後ろにずれる名詞があります。
    - r**é**gimen → reg**í**menes 体制　　car**á**cter → caract**e**res （アクセント記号不要）

- 男性と女性が両方いる集団は男性複数形で表します。
    - padres　papás　profesores　actores　hermanos
- 複数形にすることで意味が変わる名詞があります。
    - interés 関心　　intereses 利益

練習 2
Ejercicios

（解答：140 ページ）

1 例にならって、次の単語を音節に分け、アクセントのある音節に丸をつけましょう。

例) coche → ⒞ / che

1) toro 雄牛
2) cosa 物
3) piso マンション、階
4) cerveza ビール
5) foto 写真
6) alumno 生徒
7) equipo チーム
8) blanco 白
9) departamento 学科
10) ministro 大臣
11) examen 試験
12) servicio サービス
13) medio 手段
14) antiguo 古い
15) matrimonio 結婚
16) Italia イタリア
17) aceite 油
18) deuda 借金
19) escuela 学校
20) abuelo 祖父
21) idioma 言語
22) juicio 裁判
23) jueves 木曜日
24) aseo トイレ
25) Corea 韓国
26) toalla タオル
27) real 本当の
28) cumpleaños 誕生日
29) ánimo 元気
30) lejos 遠く
31) máquina 機械
32) origen 起源
33) francés フランスの
34) volumen 量
35) camión トラック、バス
36) japonés 日本語
37) guía ガイド
38) reloj 時計
39) nivel レベル
40) collar ネックレス
41) Madrid マドリー
42) seguridad 安全
43) árbol 木
44) conexión つながり
45) estudiante 学生
46) orden 順序、命令
47) María マリーア（人名）
48) método 方法
49) paraguas かさ
50) libertad 自由

2 次の名詞の性別を答えましょう。

1) ojo 目
2) copa グラス、杯
3) vino ワイン
4) casa 家
5) caso 事件
6) huevo 卵
7) lengua 言語、舌
8) cuenta 勘定
9) té お茶
10) leche 牛乳
11) coche 車
12) parque 公園
13) deporte スポーツ
14) gente 人々
15) bambú 竹
16) mar 海
17) sol 太陽
18) mujer 妻
19) hospital 病院
20) vez 回
21) autobús バス
22) canción 歌
23) avión 飛行機
24) salud 健康
25) libertad 自由
26) fiesta パーティ
27) pared 壁
28) cámara カメラ
29) actor 俳優
30) camión トラック、バス
31) viaje 旅
32) parte 部分
33) tema テーマ
34) mano 手
35) foto 写真
36) mapa 地図
37) problema 問題
38) idioma 言語
39) programa 番組
40) radio ラジオ

3 次の名詞を複数形にしましょう。

1) gato 猫
2) cosa もの
3) foto 写真
4) estudiante 学生
5) pianista ピアニスト
6) alumna 生徒
7) empresa 企業
8) padre 父
9) plan 計画
10) profesor 先生
11) color 色
12) ley 法
13) papel 紙、書類
14) flor 花
15) felicidad 幸せ
16) hospital 病院
17) lápiz 鉛筆
18) cruz 十字架
19) joven 若者
20) estación 駅、季節
21) examen 試験
22) jardín 庭
23) jamón ハム
24) razón 理由
25) trabajador 労働者
26) grupo グループ
27) voz 声
28) amiga 友達（女性）
29) régimen 体制
30) paraguas かさ

4 次の名詞を単数形にしましょう。

1) casos 事件
2) mesas 机
3) amigos 友達
4) calles 通り
5) coches 車
6) hoteles ホテル
7) relojes 時計
8) universidades 大学
9) jóvenes 若者
10) futbolistas サッカー選手
11) canciones 歌
12) voces 声
13) tenedores フォーク
14) jardines 庭
15) profesores 先生
16) señoras 婦人
17) paredes 壁
18) platos 皿
19) trenes 電車
20) lápices 鉛筆
21) aviones 飛行機
22) mamás お母さん
23) facultades 学部
24) colores 色
25) regímenes 体制
26) caracteres 性格
27) paraguas かさ
28) mapas 地図
29) despachos 事務所
30) vacaciones 休暇

5 次の名詞を、男性の場合は女性名詞に、女性の場合は男性名詞にしましょう。

1) chico 男の子 _____
2) alumna 生徒 _____
3) perro 犬 _____
4) amigos 友達 _____
5) profesora 先生 _____
6) doctor 博士 _____
7) actriz 女優 _____
8) trabajador 労働者 _____
9) hombre 男 _____
10) músico ミュージシャン _____
11) padre 父 _____
12) reina 女王 _____
13) turista 観光客 _____
14) productor 生産者 _____
15) vaca 雌牛 _____
16) médica 医者 _____
17) pintor 画家 _____
18) señor 紳士 _____
19) extranjero 外国人 _____
20) campeona チャンピオン _____

3 冠詞／形容詞

▶ **冠詞**

名詞の前に置かれます。話し手と聞き手の間で、その名詞が具体的にどれを指すか、了解がある場合には**定冠詞**、ない場合には**不定冠詞**、とさしあたり考えましょう。

	不定冠詞		定冠詞	
	男性	女性	男性	女性
単数	**un** amigo	**una** amiga	**el** amigo	**la** amiga
複数	**unos** amigos	**unas** amigas	**los** amigos	**las** amigas

不定冠詞複数は、「いくつかの／何人かの〜」の意味となります。

▶ **形容詞**

名詞と共に用いられ、多くの場合名詞の後ろに置かれます（後置）。その名詞が持つ性（男・女）と数（単・複）に合わせ語尾が変化します（性数一致）。

男性単数の語尾が o：性数一致

	男性	女性
単数	un chico **guapo**	una chica **guapa**
複数	unos chicos **guapos**	unas chicas **guapas**

男性単数の語尾が o 以外の母音か子音：数一致のみ

	男性	女性
単数	un chico **alegre**	una chica **alegre**
複数	unos chicos **alegres**	unas chicas **alegres**

男性単数の語尾が dor / sor / tor / án / ín / ón：性数一致

	男性	女性
単数	un chico **trabajador**	una chica **trabajadora**
複数	unos chicos **trabajadores**	unas chicas **trabajadoras**

国名・地名の形容詞：語尾が o と子音の場合は性数一致、それ以外は数のみ

	男　性	女　性
単数	un chico **español**	una chica **española**
複数	unos chicos **españoles**	unas chicas **españolas**

位置によって意味が変わる形容詞があります。
  un coche ***nuevo***　新しい車　　　　un ***nuevo*** coche　今度の車
  un profesor ***viejo***　老教員　　　　un ***viejo*** profesor　ベテラン教員
  un chico ***pobre***　貧しい少年　　　un ***pobre*** chico　かわいそうな少年
  una mujer ***grande***　大柄な女性　　una ***gran*** mujer　偉大な女性
grande は、男女問わず単数形の名詞の前で gran となります。また、bueno（よい）、malo（悪い）は、男性のみ単数形の名詞の前でそれぞれ buen、mal となります。

形容詞女性単数形の語尾に -mente をつけて副詞化することができます。
  nuevo　新しい、今度の → nuevamente　新しく、もう一度
  elegante　品のある → elegantemente　　normal　普通 → normalmente

練習 3
Ejerciciosos

（解答：142ページ）

1 次の名詞に不定冠詞をつけましょう。

1) (　) libro
2) (　) novela
3) (　) chico
4) (　) niña
5) (　) muchacho
6) (　) mujer
7) (　) persona
8) (　) bar
9) (　) restaurante
10) (　) gente
11) (　) señores
12) (　) pisos
13) (　) palabras
14) (　) frases
15) (　) escuelas
16) (　) universidad
17) (　) gimnasios
18) (　) alma
19) (　) ley
20) (　) aviones

2 次の名詞に定冠詞をつけましょう。

1) (　) vaso
2) (　) paella
3) (　) tío
4) (　) abuela
5) (　) playa
6) (　) arroz
7) (　) bancos
8) (　) país
9) (　) cuchillo
10) (　) bolsas
11) (　) caja
12) (　) nube
13) (　) amor
14) (　) amistad
15) (　) controles
16) (　) idea
17) (　) arma
18) (　) corazones
19) (　) ejercicio
20) (　) narices

3 例にならって、名詞に合うように（ ）内の形容詞を適切な形に変え、日本語に訳しましょう。

例）un chico (alto: *alto*)　背の高い少年

1) un hombre (guapo:　　)
2) una mujer (delgado:　　)
3) unos estudiantes (listo:　　)
4) unas profesoras (famoso:　　)
5) unos libros (caro:　　)
6) un diccionario (grande:　　)
7) unos amigos (viejo:　　)
8) un barco (nuevo:　　)

17

9) una (grande:) actriz
10) un (bueno:) bar
11) unas casas (elegante:)
12) una revista (barato:)
13) unos jóvenes (trabajador:)
14) un (malo:) restaurante
15) una (malo:) persona
16) unos hilos (largo:)
17) una voz (bajo:)
18) un tema (interesante:)
19) una habitación (limpio:)
20) unas fotos (bonito:)

4 次の表現を、名詞が単数形なら複数形に、複数形なら単数形に書き換えましょう。

1) un chico mexicano　メキシコ人の少年
2) la empresa española　そのスペイン企業
3) los muchachos chilenos　チリの青年たち
4) unas entradas caras　数枚の高い入場券
5) el coche alemán　ドイツ車
6) unos trabajadores jóvenes　若い労働者数名
7) una pianista coreana　韓国人ピアニスト
8) las profesoras argentinas　アルゼンチン人の先生
9) un buen futbolista　よいサッカー選手
10) el gran salvador　偉大なる救世主
11) unos malos vecinos　悪い隣人数名
12) una otra cosa　もう一つのこと
13) las grandes compositoras　偉大なる作曲家たち
14) el estudiante japonés　日本人学生
15) las brillantes victorias　輝かしい勝利
16) unos baños grandes　いくつかの大きな風呂
17) un idioma popular　人気のある言語
18) los derechos fundamentales　基本的人権
19) la mujer especial　特別な女性
20) unas expresiones elegantes　品のいい表現

4 指示形容詞／指示代名詞／所有形容詞／所有代名詞

▶ **指示形容詞**（形）／**指示代名詞**（名）

　形容詞として用いる場合、通常名詞の前に置きます。代名詞となる場合、アクセント記号が付くことがあります。

	この（形）／これ（名）	その（形）／それ（名）	あの（形）／あれ（名）
男性	este	ese	aquel
女性	esta	esa	aquella
中性（名のみ）	esto	eso	aquello

　中性は、まだ正体不明なものや前の文全体など、性別が不明もしくはないものを指す場合に使用します。

▶ **所有形容詞**（前置形）

　名詞の前に置き、〈所有形容詞＋名詞〉の形で「〜の」になります。1人称複数と2人称複数は性数一致しますが、それ以外は数一致のみとなります。

	単数	複数
1人称	mi (s)	nuestro / a / os / as
2人称	tu (s)	vuestro / a / os / as
3人称	su (s)	su (s)

　　mis amigos　私の友人（複数）（mi を複数に合わせた形ですが、「私たち」にはならないので注意しましょう）

　　nuestras amigas　私たちの女性の友人（複数）

▶ **所有形容詞**（後置形）／**所有代名詞**

　〈名詞＋所有形容詞〉の形で名詞の後ろに置く場合、あるいは〈冠詞＋所有代名詞〉で用いる場合の形です。形容詞は「〜の」、代名詞は「〜のもの」となります。

	単数	複数
1人称	mío / a / os / as	nuestro / a / os / as
2人称	tuyo / a / os / as	vuestro / a / os / as
3人称	suyo / a / os / as	suyo / a / os / as

　　una amiga **nuestra**　私たちの女性の友人一人

　　los **míos**　（男性名詞複数を指して）私のもの

練習 4
Ejercicios

(解答：143ページ)

1 日本語に合うように、次の名詞に所有形容詞をつけましょう。（　）の位置に気をつけてください。

1) (　　　) amigo　私の友達
2) (　　　) casa　君の家
3) (　　　) mesa　彼女の机
4) (　　　) diccionario　私たちの辞書
5) (　　　) historia　君たちの話
6) (　　　) canción　彼らの歌
7) (　　　) tarjeta　私たちのカード
8) (　　　) sillas　君の椅子
9) (　　　) mujer　彼の妻
10) (　　　) novelas　彼らの小説
11) (　　　) sitio　君たちの場所
12) (　　　) abuelos　私の祖父母
13) (　　　) padres　君たちの両親
14) (　　　) copa　彼のコップ
15) (　　　) cultura　彼女たちの文化
16) una amiga (　　　)　私の友達
17) el asiento (　　　)　君の席
18) la llamada (　　　)　彼の電話
19) una oficina (　　　)　我々のオフィス
20) el barco (　　　)　君たちの船
21) los libros (　　　)　あなたの本
22) el plato (　　　)　君の皿
23) las rosas (　　　)　彼らのバラ
24) unos bares (　　　)　彼女のいくつかのバル
25) las manzanas (　　　)　君のリンゴ
26) un médico (　　　)　私たちの医師
27) unas faltas (　　　)　私のいくつかのミス
28) la culpa (　　　)　君のせい
29) el estudio (　　　)　私の研究
30) los ojos (　　　)　君の眼
31) unos alumnos (　　　)　私たちの生徒数名
32) (　　　) visita　彼の訪問
33) la idea (　　　)　君たちのアイデア
34) (　　　) ropas　彼女の服
35) un pueblo (　　　)　彼女らの村
36) el grupo mío y el (　　　)　私のグループとあなたのそれ
37) tu carta y la (　　　)　君の手紙と彼女のそれ
38) las tareas (　　　)　我々の宿題
39) los lápices tuyos y los (　　　)　君の鉛筆と私のそれ
40) unas fotos (　　　)　君たちの何枚かの写真

2 日本語に合うように、次の名詞に指示形容詞をつけましょう。

1) (este) bolso　このハンドバッグ
2) (esta) taza　このカップ
3) (estos) teléfonos　これらの電話機
4) (estas) bolsas　これらのバッグ
5) (ese) camino　その道
6) (esa) tienda　その店
7) (esos) trenes　それらの電車
8) (esas) fiestas　それらのパーティ
9) (aquel) dinero　あの金
10) (aquella) tarjeta　あのカード
11) (aquellos) camiones　あれらのトラック
12) (aquellas) radios　あれらのラジオ
13) (este) espejo　この鏡
14) (aquella) discoteca　あのディスコ
15) (esos) juegos　それらのゲーム
16) (aquellas) tapas　あれらの小皿
17) (ese) vagón　その車両
18) (esta) leche　この牛乳
19) (aquellos) coches　あれらの車
20) (esas) sillas　それらの椅子
21) (aquel) corazón　あの心
22) (esta) sopa　このスープ
23) (estos) bolígrafos　これらのペン
24) (estas) estrellas　これらの星
25) (aquella) cama　あのベッド
26) (esa) corbata　そのネクタイ
27) (esa) moto　そのバイク
28) (estos) guantes　これらの手袋
29) (esos) collares　それらのネックレス
30) (aquella) línea　あの線

3 次の表現を、名詞が単数形なら複数形に、複数形なら単数形にして、全体を書き換えましょう。

1) mi tiempo　私の時間
2) esta cama　このベッド
3) los teléfonos tuyos　君の電話機
4) aquella página　あのページ
5) tu tío　君の叔父
6) esos chicos　その青年たち
7) nuestro camión　私たちのトラック
8) aquel dormitorio　あの寝室
9) vuestras mesas　君たちの机
10) el apellido suyo　彼の苗字
11) las expresiones mías　私の表現
12) un amigo vuestro　君たちの友達
13) aquellos despachos suyos　彼のあれらの事務所
14) este diccionario mío　この私の辞書
15) el tema nuestro　私たちのテーマ
16) su propia foto　あなたご自身の写真
17) ese pescado tuyo　その君の魚
18) aquellos mapas nuestros　あの私たちの地図
19) nuestra historia larga　私たちの長いストーリー
20) sus grandes canciones　彼女の偉大な歌曲

5 動詞と主語・主格人称代名詞／ser／estar／haber／疑問詞

ある動作をするものを主語、その動作そのものを動詞と呼びます。例えば、「私はメールを友達に送る」という文で、「私は」が**主語**、「送る」が**動詞**となります。

ser／estar／haber は、スペイン語の動詞です。3 つついずれも、そのままの形では**原形**と呼びます。主語に合わせ形を変える必要がありますが、これを**動詞の活用**といいます。スペイン語の主語は以下の 6 パターンで、多くの場合主語は省略可能です。

	単　数	複　数
1人称	yo　私	nosotros／as　私たち
2人称	tú　君（心の距離が近い）	vosotros／as　君たち（心の距離が近い）
3人称	él　彼 ella　彼女 usted　あなた（心の距離が遠い） その他多数	ellos　彼ら（男性のみか男女混合） ellas　彼女ら ustedes　あなた方（心の距離が遠い） その他多数

上の「その他多数」以外のものを、**主格人称代名詞**といいます。

主語として 1 人称、2 人称、3 人称が混ざった時は、1 人称＞ 2 人称＞ 3 人称の順番に優先させます。つまり、「私と君」は、1 人称の yo と 2 人称の tú ですが、まとめて 1 人称複数の nosotros（nosotras）として扱います。

主語を 2 つ以上並べる時は、接続詞の y でつなぎます。

ser も estar も、日本語にすると「〜である」となります（英語の be 動詞）が、用法が異なります。

▶**ser**「〜である」：主語を「分類」／「（ある出来事が）起こる」

	単　数	複　数
1人称	soy	somos
2人称	eres	sois
3人称	es	son

　Soy estudiante.　私は学生です。
　Jorge **es** listo.　ホルヘは賢い。
　Es el 7 de marzo el cumpleaños de Paco.　パコの誕生日は 3 月 7 日です。

▶ estar 「〜である」：主語が何かの結果としてある「状態」

	単　数	複　数
1人称	estoy	estamos
2人称	estás	estáis
3人称	está	están

　　Estoy cansada.　私（女性）は疲れている。
　　Jorge está listo.　ホルヘは準備ができている。
「状態」の1つとして、主語がどこにいるかの「所在」を示せます。
　　La estación **está** cerca de aquí.　その駅はこの近くにある。

▶ haber：hay と活用して「存在」を表し、「いる」「ある」と訳せます。
　　Hay una estación cerca de aquí.　この近くに1つ駅がある。
　　Hay tiendas de ropa.　洋服店がある。

「存在」の haber と「所在」の estar は、混同しやすいので注意が必要です。先ほどの例文2つを見比べてみましょう。haber はある／いるかないかという存在について述べます（駅がある）。estar は、存在しているのは分かっているが、そのもの／人がどこにいるかという所在について述べます（その駅はこの近くにある）。

▶ 疑問詞
qué：「何」。¿***Qué*** es esto?　これは何？
quién / quiénes：「誰」。数変化。
　　　¿***Quién*** eres?　君は誰だい？　¿***Quiénes*** son ellos?　彼らは誰ですか？
cuál / cuáles：「どれ」。数変化。
　　　¿***Cuál*** es tu apellido?　君の苗字は何？
　　　¿***Cuáles*** son tus zapatos?　君の靴はどれ？
cuánto / a / os / as：「いくら」。性数一致。
　　　¿***Cuánto*** es este libro?　この本はいくらですか？
　　　¿***Cuántas*** personas hay?　何人いますか？
cómo：「どんな」。¿***Cómo*** está usted?　いかがですか？
　　　¿***Cómo*** es ese restaurante?　そのレストランどう？
cuándo：「いつ」。¿***Cuándo*** es tu cumpleaños?　君の誕生日はいつ？
dónde：「どこ」。¿***Dónde*** estáis?　君たちどこにいるの？

練習 5
Ejercicios

（解答：144 ページ）

1 次の文の（　）内に、動詞 ser を適切な形に活用させて入れましょう。

1) Yo (　　　) estudiante.　私は学生です。
2) Tú (　　　) muy alegre.　君はとても陽気だね。
3) Antonio no (　　　) del segundo año.　アントニオは2年生ではない。
4) Usted (　　　) de Madrid.　あなたはマドリー出身です。
5) Nosotros (　　　) profesionales.　私たちはプロですよ。
6) ¿Vosotras (　　　) músicas?　君たちはミュージシャンなの？
7) Ellas (　　　) de México, ¿verdad?　彼女たちはメキシコ出身ですよね？
8) Pablo y yo (　　　) amigos.　パブロと私は友達です。
9) Él y ella también (　　　) amigos.　彼と彼女も友達です。
10) (　　　) estudiante de esta universidad.　私はこの大学の学生です。
11) Ellos (　　　) compañeros de piso.　彼らはルームメイトです。
12) Eso (　　　) mentira.　それは嘘だ。
13) Tú y Arturo (　　　) colegas.　君とアルトゥーロは仕事仲間じゃないか。
14) Tú (　　　) buena persona.　君はよい人だ。
15) Este señor (　　　) mi jefe.　この方は私の上司です。
16) Las mesas (　　　) de madera.　（それらの）机は木でできている。
17) (　　　) de Alemania el coche.　（その）車はドイツ製です。
18) José y Gonzalo (　　　) muy altos.　ホセとゴンサロはとても背が高い。
19) ¿Ustedes (　　　) japoneses? –No, nosotros (　　　) mexicanos.
　　「あなた方は日本人ですか？」「いいえ、メキシコ人です」
20) Nosotros y vosotros no (　　　) enemigos.　私たちと君たちは敵ではない。

2 次の文の（　）内に、動詞 estar を適切な形に活用させて入れましょう。

1) Yo (　　　) contento.　私は満足ですよ。
2) Tú (　　　) enferma.　君は病気だね。
3) ¿Usted no (　　　) en casa?　あなたはご自宅にいらっしゃらないのですか？
4) El coche (　　　) en el aparcamiento.　車は駐車場にある。
5) Aquí (　　　) nosotros.　我々はここにいる。
6) Vosotros (　　　) ahí.　君たちはそこにいる。
7) ¿Ellos (　　　) contigo?　彼らは君と一緒にいるのかい？
8) La librería (　　　) cerca de este edificio.　本屋はこの建物の近くにある。
9) ¿Dónde (　　　) tú ahora?　今君はどこにいるの？
10) Tú y yo (　　　) juntos.　君と私は一緒にいる。
11) La gente (　　　) harta.　人々は飽き飽きしている。

12) José y Mercedes ahora (　　　　) en Japón. ホセとメルセデスは今日本にいる。
13) Vosotros (　　　　) nerviosos, ¿no? 君たちは緊張しているよね？
14) ¿(　　　　) usted cansada? —Sí, (　　　　) cansada.
　　「お疲れですか？」「はい、疲れています」
15) (　　　　) buena esta paella. このパエーリャは美味しい。
16) La puerta (　　　　) abierta. 扉が開いている。
17) Ahora yo (　　　　) tranquilo. 今は落ち着いています。
18) Mi casa (　　　　) muy lejos de aquí. 私の家はここから遠い。
19) Yo (　　　　) resfriado. 私は風邪を引いている。
20) ¿(　　　　) cerradas las ventanas? —No, no (　　　　) cerradas.
　　「窓は閉まってる？」「いや、閉まってない」

3 次の文の（　）内に、動詞 ser か estar のどちらか適切な方を活用させて入れましょう。

1) Yo (　　　　) profesor de esta universidad. 私はこの大学の教員です。
2) Pablo (　　　　) aburrido. パブロは退屈している。
3) Tú (　　　　) cansado. 君は疲れている。
4) Vosotros (　　　　) españoles, ¿verdad? 君たちはスペイン人でしょ？
5) Ellos (　　　　) resfriados. 彼らは風邪を引いている。
6) Ellas (　　　　) alumnas. 彼女らは生徒です。
7) Tú y yo (　　　　) amigos. 君と私は友達です。
8) ¿(　　　　) bien usted? （あなたに対して）大丈夫ですか？
9) María, Jorge y yo (　　　　) de México. マリーアとホルヘと私はメキシコ人です。
10) (　　　　) estudiante. 君は学生です。
11) El coche (　　　　) de Japón. （その）車は日本製です。
12) El coche (　　　　) en la calle. （その）車は通りにある。
13) Las ropas (　　　　) en el armario. （それらの）服はクローゼットにある。
14) Las sillas (　　　　) de madera. （それらの）椅子は木でできている。
15) Estos señores (　　　　) muy famosos. この方たちはとても有名なのです。

4 日本語訳を参照しながら、次の文の（　）内に、動詞 estar か haber のどちらか適切な方を活用させて入れましょう。

1) (　　　　) una persona en la habitación. 一人の人物が部屋の中にいる。
2) Esa persona (　　　　) en la habitación. その人物は部屋の中にいる。

3) (　　　　) un libro en la mesa.　机に一冊本がある。
4) (　　　　) en el cajón las revistas.　それらの雑誌は引き出しにある。
5) (　　　　) unos chicos en el aula.　何人かの男の子が教室にいる。
6) Aquellos chicos (　　　　) en el aula.　あの男の子たちは教室にいる。
7) Cerca de aquí (　　　　) la cafetería.　そのカフェテリアはこの近くにある。
8) Aquí (　　　　) María.　ここにマリーアがいる。
9) Ahí (　　　　) una montaña.　そこに山がある。
10) Allí (　　　　) la casa de María.　あそこにマリーアの家がある。

5 日本語訳を参照しながら、次の文の（　）内に、動詞 ser、estar、haber のうちどれか適切なものを活用させて入れましょう。

1) Solo (　　　　) una alumna en el tercer año.
   3年生には一人しか女子生徒がいない。
2) Esa alumna (　　　　) resfriada y (　　　　) en casa.
   その女子生徒は風邪を引いて家にいる。
3) (　　　　) una alumna muy alegre.　とても陽気な女子生徒だ。
4) ¿Cuándo (　　　　) la reunión? —(　　　　) mañana por la tarde.
   「会議はいつ？」「明日の午後だよ」
5) ¿Dónde (　　　　) la sala de reunión? —(　　　　) ahí a la derecha.
   「会議室はどこにあるの？」「そこの右にあるよ」
6) En Madrid (　　　　) un restaurante japonés. El nombre (　　　　) "Donzoko". (　　　　) un restaurante muy bueno. (　　　　) cerca de la Puerta del Sol.
   マドリーに1つの和食レストランがある。名前は、「どん底」という。とてもいいレストランである。プエルタ・デル・ソルの近くにある。
7) ¿(　　　　) una librería por aquí? —Sí, (　　　　) una.
   —¿Y, dónde (　　　　)? —(　　　　) ahí en la esquina.
   「この辺に本屋はありますか？」「はい、1つあります」
   「どこにありますか？」「そこの角にありますよ」
8) ¿La estación de Tokio (　　　　) cerca de aquí?
   —No, (　　　　) muy lejos. (　　　　) otra estación cerca.
   (　　　　) la estación de Yurakucho.
   「東京駅はここの近くにありますか」
   「いいえ、とても遠いです。近くにはもう1つの駅があります。有楽町駅です」

Cuál y Qué

6 例にならって、次のスペイン語の下線部をたずねる疑問文を作りましょう。

例) Leo un libro. 私は一冊の本を読みます。
→ ¿Qué lees tú (lee usted)? 何を読んでいるの（お読みですか？）

1) Compro un pan. 私はパンを一つ買います。

2) Leo tres periódicos al día. 私は一日に3つ新聞を読みます。

3) Soy estudiante de esta universidad. 私はこの大学の学生です。

4) Mi apellido es Cisneros. 私の苗字はシスネロスです。

5) Ellos son de México. 彼らはメキシコ出身です。

6) El cumpleaños de Paco es el 17 de abril. パコの誕生日は4月17日です。

7) Estoy bien. 私は元気です。

8) La capital de España es Madrid. スペインの首都はマドリーです。

9) Ana es simpática. アナは感じがいい。

10) Estamos en la biblioteca. 私たちは図書館にいます。

7 次のスペイン語を日本語にしましょう。

1) Hay un restaurante cerca de aquí. Es muy bueno.

2) ¿Hay una librería en esta calle? —Sí, ahí hay una. Está en esa esquina.

3) ¿Cuándo es la fiesta? —Es el martes 28 de marzo, en una discoteca.

4) Y, ¿dónde está esa discoteca? —Está en la Plaza de Alonso Martínez.

8 次の言葉を並べ替えて、日本語に合うようなスペイン語の文にしましょう。

1) パブロの誕生日は 11 月 30 日です。
   (30, cumpleaños, de, de, el, el, es, noviembre, Pablo).

2) 私の友達はホテルにいます。
   (amigos, el, en, están, hotel, mis).

3) あの先生は元気のよい人だが、今は疲れている。
   (alegre, ahora, aquella, cansada, es, está, pero, profesora).

9 次の日本語をスペイン語にしましょう。

1) 私はその大学の学生です。

2) この街には 1 つ駅があります。ここから近いです。

3) パーティは今日だが、ホセとマリーアは疲れている。

6 直説法現在

現在形は、現在や近い未来について述べる時に用いる活用形です。
動詞の活用には、規則活用と不規則活用があります。
規則活用とは、原形語尾 2 文字を、主語と対応した語尾（活用語尾）に取り替えることです。**不規則活用**とは、語尾以外も変化するものです。
前章にある ser / estar / haber は、語尾以外も変化しているので不規則活用です。
全てのスペイン語の動詞は、原形の語尾によって ar 動詞、er 動詞、ir 動詞の 3 種類に分けられます。

	ar 動詞 hablar（話す）		**er 動詞** comer（食べる）		**ir 動詞** vivir（生きる）	
	単数	複数	単数	複数	単数	複数
1 人称	habl**o**	habl**amos**	com**o**	com**emos**	viv**o**	viv**imos**
2 人称	habl**as**	habl**áis**	com**es**	com**éis**	viv**es**	viv**ís**
3 人称	habl**a**	habl**an**	com**e**	com**en**	viv**e**	viv**en**

Hablo japonés.　私は日本語を話す。（主語は動詞語尾でわかるので省略）
Comemos a las dos.　私たちは 2 時に昼食を食べる。（主語省略）
¿Vivís cerca de aquí?　君たちこの近くに住んでるの？

▶ **不規則活用**

① 1 人称単数のみ不規則
　ver（見る、会う）：**veo**, ves, ve, vemos, veis, ven
　poner（置く、など）：**pongo**, pones, pone, ponemos, ponéis, ponen
　saber（知識として知る）：**sé**, sabes, sabe, sabemos, sabéis, saben
その他（1 人称単数のみ示す）：
　dar（与える）→ **doy**　　salir（出る）→ sal**go**　　traer（持ってくる）→ trai**go**
　conocer（経験として知る）→ cono**zco**　　hacer（作る、する）→ ha**go**

② 語幹母音変化動詞：1 人称複数、2 人称複数以外は後ろから 2 つ目の母音が変化します。

e → ie：e が ie になる箇所は、どれもそこにアクセントが来ています。
　pensar（考える）：p**ie**nso, p**ie**nsas, p**ie**nsa, pensamos, pensáis, p**ie**nsan
　その他：ent**e**nder（理解する）、s**e**ntar（据える）、s**e**ntir（感じる）、pref**e**rir（〜をより好む）など

o → ue
　poder（〜できる）：p**ue**do, p**ue**des, p**ue**de, podemos, podéis, p**ue**den
　その他：c**o**ntar（数える）、v**o**lver（戻る）、d**o**rmir（眠る）など
e → i：ir 動詞のみ
　pedir（求める）：p**i**do, p**i**des, p**i**de, pedimos, pedís, p**i**den
　その他：rep**e**tir（くり返す）、s**e**guir（続ける）、s**e**rvir（役に立つ）など

③　①と②の組み合わせ
　tener（持つ）：ten**go**, t**ie**nes, t**ie**ne, tenemos, tenéis, t**ie**nen
　venir（来る）：ven**go**, v**ie**nes, v**ie**ne, venimos, venís, v**ie**nen
　decir（言う）：di**go**, d**i**ces, d**i**ce, decimos, decís, d**i**cen

④その他：完全不規則形
　oír（聞く）：oigo, oyes, oye, oímos, oís, oyen
　ir（行く）：voy, vas, va, vamos, vais, van

▶ **原形を伴う動詞句**
poder ＋原形（〜できる）／saber ＋原形（〜できる、〜の仕方を知っている）
　　　Sé nadar pero ahora no puedo．Es que no traigo bañador．
　　　　私は泳ぎ方は知っているけれど、今はできない。水着を持ってきてないんだ。
　　　¿Puedes hablar más alto? もっと大きな声で話してくれる？（疑問文では許可・依頼）
tener que ＋原形／haber（hay）que ＋原形（〜しなくてはいけない）
　　　Tienes que estudiar más． 君はもっと勉強しなきゃ。
　　　No tienes que hacer esto． 君はこれをしなくてもいい。
　　　Hay que tener cuidado． 注意しなくてはいけない。（haber que は主語不特定）
deber ＋原形（〜しなくてはいけない）
　　　Debes estar tranquilo． 君は落ち着かなきゃ。
　　　No debes estar en el dormitorio． 君は寝室にいてはいけない。(tener que とは異なる)
ir a ＋原形（〜するだろう、〜するつもりだ、〜しましょう）
　　　Voy a subir a la segunda planta． 私は二階まで上がります。
　　　Vamos a subir en el ascensor． エレベーターで上がりましょう。
その他：empezar／comenzar a ＋原形（〜し始める）、acabar de ＋原形（〜したところだ）、soler ＋原形（よく〜する）、pensar ＋原形（〜しようと思う）、aprender a ＋原形（〜することを覚える）、sentir ＋原形（〜して申し訳ない）、venir a ＋原形（〜しに来る）

練習 6
Ejercicios

(解答：146 ページ)

1 （ ）内のものを主語とし、次の規則活用動詞を直説法現在に活用させましょう。

1) hablar（yo）
2) tomar（tú）
3) desayunar（él）
4) cenar（nosotros）
5) buscar（vosotros）
6) escuchar（ustedes）
7) comer（yo）
8) beber（tú）
9) aprender（ella）
10) comprender（nosotras）
11) leer（vosotros）
12) creer（ellos）
13) vivir（yo）
14) escribir（tú）
15) abrir（usted）
16) cubrir（nosotros）
17) subir（vosotros）
18) partir（las chicas）
19) cantar（tú）
20) comprar（tú y yo）
21) meter（José y María）
22) romper（yo）
23) recibir（tú y ella）
24) permitir（usted）
25) llevar（usted y yo）
26) imprimir（vosotras）
27) dividir（tú）
28) vender（él y ella）
29) llevar（el profesor）
30) mirar（yo）

2 （ ）内のものを主語とし、次の不規則活用動詞を直説法現在に活用させましょう。

1) ver（yo）
2) poner（yo）
3) salir（yo）
4) conocer（yo）
5) hacer（yo）
6) saber（yo）
7) traer（yo）
8) dirigir（yo）
9) oír（ustedes）
10) empezar（ella）
11) querer（José）
12) entender（tú y yo）
13) cerrar（tú y él）
14) sentir（ustedes）
15) distinguir（yo）
16) costar（el coche）
17) poder（Francisco）
18) jugar（Javier）
19) dormir（Patricia y tú）
20) morir（las personas）
21) pedir（yo）
22) repetir（tú）
23) seguir（ella y usted）
24) servir（nosotras）
25) vestir（tú y Jesús）
26) elegir（Luis y Teresa）
27) tener（yo）
28) venir（tú）
29) decir（yo）
30) ir（nosotros）

3 次の動詞の活用形を見て、例にならって動詞原形と主語を答えましょう。

例) sigues (*seguir*) [*tú*]

1) mando   (   ) [   ]   2) hablas   (   ) [   ]
3) come   (   ) [   ]   4) bebemos   (   ) [   ]
5) escribís (   ) [   ]   6) viven   (   ) [   ]
7) cortan   (   ) [   ]   8) bailáis   (   ) [   ]
9) aprendo (   ) [   ]   10) rompe   (   ) [   ]
11) abres   (   ) [   ]   12) subimos   (   ) [   ]
13) entendéis (   ) [   ]   14) siente   (   ) [   ]
15) podemos (   ) [   ]   16) duermes   (   ) [   ]
17) pide   (   ) [   ]   18) sirven   (   ) [   ]
19) juegas (   ) [   ]   20) vengo   (   ) [   ]
21) sé   (   ) [   ]   22) tiene   (   ) [   ]
23) llueve (   ) [   ]   24) decimos   (   ) [   ]
25) vais   (   ) [   ]   26) sigo   (   ) [   ]
27) repite (   ) [   ]   28) hago   (   ) [   ]
29) voy   (   ) [   ]   30) veo   (   ) [   ]

4 日本語訳を参照しながら、次の文の（　）内の動詞を、例にならって直説法現在に活用させましょう。主語がない場合は前後から考えましょう。

例) (Estudiar, yo: *Estudio*) español.　私はスペイン語を勉強する。

1) Yo (hablar:　　　　　) japonés, español y francés.
   私は日本語、スペイン語、フランス語を話します。
2) Siempre (llegar, tú:　　　　　) tarde.　君はいつも遅刻するね。
3) Mi padre (trabajar:　　　　　) hasta muy tarde.　私の父は遅くまで働く。
4) No (comprender, yo:　　　　　) esta frase.　私はこの文が分からないんです。
5) (Ir, yo:　　　　　) a la cama.　私はベッドに行きます（寝ます）。
6) (Abrir, ellos:　　　　　) la tienda desde la madrugada.
   早朝から店を開けている。
7) (Salir, yo:　　　　　) de casa a las ocho.　私は8時に家を出る。
8) ¿Me (entender, tú:　　　　　)?　私（の言っていること）が分かる？
9) Este niño (dormir:　　　　　) mucho.　この子はたくさん寝る。
10) Te (querer, yo:　　　　　) mucho.　君をすごく愛してるよ。
11) ¿Cuánto (costar:　　　　　) estos zapatos?　この靴はいくらですか？

33

12) (Saber, yo:) el precio de esa computadora.
    私はそのコンピュータの値段を知っている。
13) Su abuelo (tener:) noventa años. 彼女の祖父は 90 歳だ。
14) ¿Qué me (decir:)? 君は私に何を言ってるんだ？
15) (Pedir, yo:) perdón. 申し訳ない（許しを乞います）。
16) No te (oír, yo:) bien. 君（の声）がよく聞こえない。
17) (Seguir, ellos:) las noticias de España.
    彼らはスペインのニュースを追い続けている。
18) (Venir, yo:) a denunciar un robo. 盗難を届出に来ました。
19) Lo (sentir, nosotros:). 私どもは残念に思います。
20) Esto no (servir:). これは役に立たない。

5 日本語訳を参照しながら、次の文の（ ）内の動詞を、直説法現在に活用させましょう。主語がない場合は前後から考えましょう。

1) ¿(Comer, tú:) bien? —Sí, (comer:) muy bien.
   「おいしい？」「うん、とてもおいしいよ」
2) ¿(Hablar:) español? —Sí, (hablar:) un poco.
   「スペイン語を話されますか？」「ええ、少しは話します」
3) ¿Qué (hacer, usted:) aquí?
   —No (hacer:) nada. (ir:) a volver a casa.
   「ここで何をしているんだね」「何も（nada）してません。家に帰ります」
4) ¿Me (poder, tú:) ayudar? —Ahora no (poder:).
   「手伝ってくれる？」「今はできないな」
5) Santiago (deber:) de estar por ahí. (Soler:) pasar por aquí a estas horas.
   サンティアゴはその辺にいるに違いないよ。この時間になるとこの辺りをよく通る。
6) ¿(Leer, tú:) periódico? —No, (ver:) las noticias en la tele.
   「君は新聞読むの？」「いや、テレビでニュース番組を見る」
7) ¿Te (traer:) algo? —Sí, (querer:) beber agua, por favor.
   「何か（algo）持ってこようか？」「うん、水が飲みたいな、お願い」
8) Siempre me ayudas. Te lo (agradecer:).
   君はいつもぼくを助けてくれる。（ぼくは君にそれを）感謝するよ。
9) ¿Me lo (repetir, usted:) otra vez, por favor?
   もう一度繰り返していただけますか？

10) ¿Me (querer:)? —No (saber:).
    「おれのこと好きかい？」「知らない」
11) Almudena hoy no (venir:) al trabajo. (Decir:) que su padre (estar:) enfermo.
    アルムデナは今日仕事に来ない。お父様がご病気だと言っているよ。
12) ¿(Poder, usted:) hablar más despacio, por favor?
    —Ah, lo (sentir:). (Hablar:) despacio.
    「もっとゆっくりお話しいただけますか？」「ああ、ごめんなさい。ゆっくり話します」
13) (Deber:) decir la verdad. No (poder:) conducir porque no (tener:) carné de conducir. —Entonces (conducir:) yo.
    「ほんとのことを言わなきゃね。今免許を持っていなくて運転できないんだ」
    「じゃあ私が運転するよ」

6 次の言葉を並べ替えて、日本語に合うようなスペイン語の文にしましょう。動詞は適切な形に活用させましょう。

1) この子（女の子）は毎日よく眠っていますよ。
   (bien, días, dormir, esta, los, niña, todos)

2) この教室では日本語を話してはいけません。
   (clase, deber, en, esta, hablar, japonés, no)

3) 今日私たちは仕事しに行かなくていい。
   (a, hoy, ir, no, tener, trabajar, que)

7 次のスペイン語を日本語にしましょう。

1) Raúl lee las revistas en la biblioteca.

2) Las clases de ese profesor empiezan muy temprano.

3) No cenamos juntos porque estamos muy ocupados.

4) Yo no hago los deberes porque yo no quiero.

5) Van a llegar tarde.

6) No tienes que trabajar hasta muy tarde.

7) Todos los días duermo muy bien.

8) No debemos hablar rápido.

9) Mi padre cocina muy bien.

10) Tienes que estar tranquila.

8 次の日本語をスペイン語にしましょう。

1) 私たちは大学の近くに住んでいる。

2) フランシスコはよくこのカフェテリアに来る。

3) 免許がないので君は今運転してはいけない。

7 目的語と目的格人称代名詞

「私はメールを友達に送る」という文で、「メールを」「友達に」の部分を、**目的語**といいます。それぞれ、直接目的語、間接目的語と呼びます。

また、上の文を「私はそれを彼に送る」と言い換えた時、「それを」「彼に」の部分を**目的格人称代名詞**と呼びます。

▶ 目的格人称代名詞

目的格人称代名詞は、直接目的格と間接目的格の2種類があります。

直接目的格人称代名詞（「〜を」）

	単　数	複　数
1人称	me	nos
2人称	te	os
3人称	lo / la *	los / las *

間接目的格人称代名詞（「〜に」）

	単　数	複　数
1人称	me	nos
2人称	te	os
3人称	le (se)	les (se)

＊lo と los は男性名詞、la と las は女性名詞を言い換えるときに用います。漠然としたものを指す場合は、中性の lo を用います。

▶ 目的格人称代名詞の位置と順番

- 目的格人称代名詞は、活用した動詞の前に置きます。
- 直接・間接目的語両方を人称代名詞に替えるときは、間接→直接の順番に並べます。
- 直接・間接両方とも3人称の場合、間接目的格は se となります。
- 原形を従える動詞（例：poder, querer など＋原形）では、目的格人称代名詞は、活用した動詞の前に置くこともできますが、原形に直結もできます。

「私はミゲルに本を1冊あげる」という文を「私は彼にそれをあげる」という文に直すことを例にして考えてみましょう。

　　Doy un libro a Miguel.　　私はミゲルに本を1冊あげる。

- 直接目的語は un libro、間接目的語は (a) Miguel です。
- 前置詞の a は目的語の前につけますが、直接目的語が物あるいは不特定の人を指す場合はつけません。この場合、un libro は直接目的語でかつ物を指しますので、a は必要ありません。

直接目的語（un libro）のみ置き換え

　　→ Lo doy a Miguel.　　私はミゲルにそれをあげる。

間接目的語（a Miguel）のみ置き換え
　　→ Le doy un libro.　私は彼に本を1冊あげる。
直接と間接両方置き換え
　　→ ~~Le~~ lo doy. → **Se** lo doy.　私は彼にそれをあげる。

上の文の「あげる」（dar）を「あげたい」（querer dar）にしてみましょう。 *(手書き: dar un libro a Miguel)*
　　Quiero dar a Miguel un libro.　私はミゲルに本を1冊あげたい。
直接目的語のみ置き換え
　　→ Lo quiero dar a Miguel. / Quiero darlo a Miguel.　私はミゲルにそれをあげたい。
間接目的語のみ置き換え
　　→ Le quiero dar un libro. / Quiero darle un libro.　私は彼に本を1冊あげたい。
直接と間接両方置き換え
　　→ Se lo quiero dar. / Quiero dárselo.
　　　　私は彼にそれをあげたい。（アクセント記号に注意）

練習 7
Ejercicios

(解答：148ページ)

1 日本語訳を参照しながら、次の文の（　）内に、下線部に合う適切な直接目的格人称代名詞を入れましょう。

1) José (me) quiere.　ホセは私を愛している。
2) María no (te) quiere.　マリーアは君を愛していない。
3) (le) quiero yo.　私は彼を愛している。
4) (la) queremos todos.　私たちはみんな彼女を愛している。
5) Este profesor (nos) quiere.　この先生は私たちを愛してくれている。
6) Yo (os) quiero.　私は君たちを愛している。
7) (los) queréis mucho.　君たちは彼らをすごく愛している。
8) (las) quieres tú.　君は彼女らを愛している。
9) (lo) odio.　私は彼を憎んでいる。
10) Mi papá (me) entiende bien.　私の父は私をよく理解している。
11) (te) invito a la fiesta.　君をパーティーに招待しよう。
12) No (os) aprobamos.　私たちは君たちを合格させない。
13) Yo (lo) compro.　私はそれ（本= libro）を買う。
14) Ellos (me) tratan con respeto.　彼らは私を丁重に扱ってくれる。
15) (la) abren a las nueve.　彼らはそれ（店= tienda）を9時に開ける。
16) ¿(las) cierro?　それら（ドア= puertas）を閉めようか？
17) (los) ayudo.　あなた方（ustedes）をお手伝いいたします。
18) (los) quiero ayudar.　あなた方（ustedes）をお手伝いしたいのです。
19) No tienes que hacer (lo) ahora mismo.　今すぐそれをやらなくてもいいよ。
20) ¿(Me) vas a pegar? —No, hombre, no. No (te) voy a pegar.
「私を殴る気か？」「いや、まさかそんな。君を殴ったりなんかしないよ」

2 日本語訳を参照しながら、次の文の（　）内に、下線部に合う適切な間接目的格人称代名詞を入れましょう。

1) Luego (　) mandas un SMS, ¿OK?
後で一通私にショートメールを送ってね、OK？
2) Sí, (　) lo mando.　うん、（君に一通ショートメールを）送るよ。
3) Yo (　) mando un archivo de Word.　私は彼にワードのファイルを送る。
4) Pedro (　) manda un paquete todos los meses.
ペドロは毎月小包を1つ私たちに送ってくれる。
5) (　) mando un beso.
君たちにキスを送ります。（親しい間柄の手紙で末尾に置く定型文）

6) (　　　) manda José un email.　彼女らにホセがメールを送る。
7) No (　　　) compro este juguete.　君にこのおもちゃは買わない。
8) (　　　) doy un toque al señor.　その方にご連絡します。
9) (　　　) regalo este libro.　私は君たちにこの本を贈ろう。
10) (　　　) retira los platos, por favor.
　　　（私たちの）お皿を片付けていただけますか、お願いします。
11) (　　　) trae una caña, por favor.　私にビール1杯いただけますか、お願いします。
12) José no (　　　) dice la verdad.　ホセは彼らに真実を言っていない。
13) (　　　) voy a decir una cosa.　君たちに1つ言おう。
14) (　　　) va a indicar la dirección de su casa.
　　　私にご自宅のご住所をお教えください。
15) ¿(　　　) puedes echar una mano?　私たちに手を貸してもらえる？
16) (　　　) quiero preguntar una cosa.　彼女に質問をしたい。
17) No (　　　) puedo contar esta historia ahora mismo.
　　　今はこの話を君にすることはできない。
18) Siento causar (　　　) las molestias.
　　　あなた様方にご迷惑をおかけして申し訳ありません。
19) ¿(　　　) puedes comprender? —Sí, (　　　) comprendo.
　　　「私（の言っていること）を理解できる？」「うん、分かるよ」
20) (　　　) pido un favor de prestar (　　　) 10 euros.
　　　私に10ユーロを貸してくれるよう、君にお願いします。

3 日本語訳を参照しながら、例にならって、次の文の下線部を直接目的格人称代名詞に置き換え、全文を言い換えましょう。

例）Doy este libro.　私はこの本をあげる。→ Lo doy.

1) Compro un ordenador.
　　　私はコンピュータを1台買う。
2) Compro dos ordenadores.
　　　私はコンピュータを2台買う。
3) Compro una flor.
　　　私は花を1本買う。
4) Compro tres flores.
　　　私は花を3本買う。
5) Voy a comprar un ordenador.
　　　私はコンピュータを1台買うつもりだ。

6) Voy a comprar cuatro ordenadores.
   私はコンピュータを4台買うつもりだ。

7) Voy a comprar una flor.
   私は花を1本買うつもりだ。

8) Voy a comprar cinco flores.
   私は花を5本買うつもりだ。

9) Regalas una novela.
   君は小説を1冊贈る。

10) Estudio español.
    私はスペイン語を勉強する。

11) Mandas dos correos electrónicos.
    君はEメールを2通送る。

12) Alquilamos un piso.
    私たちはマンションを借りる。

13) Quiero a mi novia mucho.
    私は恋人をとても愛している。

14) Tengo que enviar la maleta.
    私はスーツケースを送らなくてはならない。

15) ¿Puedo coger el mapa?
    地図取っていっていいですか？

4 日本語訳を参照しながら、例にならって、次の文の下線部を間接目的格人称代名詞に置き換え、全文を言い換えましょう。

例) Doy un libro a José.　私はホセに1冊本をあげる。 → Le doy un libro.

1) Compro un libro a mi hijo.
   私は息子に1冊本を買う。

2) Compro a mis hijos un libro.
   私は息子たちに1冊本を買う。

3) Compro dos flores a mi mujer.
   私は妻に花を2本買う。

4) Compro a mis hijas dos flores.
   私は娘たちに花を2本買う。

5) Voy a comprar a mi amigo un billete.
   私は友人に1枚チケットを買うつもりだ。

6) Voy a comprar una novela a mis hijos.
    私は息子たちに 1 冊小説を買う。
7) Voy a comprar una flor a mi novia.
    私は恋人に花を 1 本買ってあげるつもりだ。
8) Voy a comprar unas flores a mis amigas.
    私は友人たちに花を数本買ってあげるつもりだ。
9) Regalas una novela a sus hijos.
    君は彼の子供たちに小説を 1 冊贈る。
10) Mandas al jefe dos correos electrónicos.
    君は E メールを 2 通上司に送る。
11) José compra un piso a su hija.
    ホセは娘にマンションを買う。
12) Quiero regalar estos chocolates a María.
    私はこれらのチョコレートをマリーアに贈りたい。
13) Voy a vender este coche a Pedro.
    私はこの車をペドロに売るつもりだ。
14) Tengo que enviar estos paquetes a mis padres.
    私はこれらの小包を両親に送らなくてはならない。
15) ¿Puedes pasarle el plato a ella?
    その皿を彼女に渡してくれる？

5 日本語訳を参照しながら、例にならって、次の文の下線部を目的格人称代名詞を使って言い換えましょう。5) から 10) は、二通りに言い換えましょう。

例) Doy un chocolate a José.　私はホセにチョコレートをあげる。→ Se lo doy.

Voy a dar un chocolate a José.　私はホセにチョコレートをあげるつもりだ。
→ Se lo voy a dar. / Voy a dárselo.

1) Regalo a mi madre un libro.
    私は母に 1 冊本を贈る。
2) Regalo una novela a mi madre.
    私は母に 1 冊小説を贈る。
3) Regalo a mi padre tres libros.
    私は父に 3 冊本を贈る。
4) Regalo muchas flores a mis padres.
    私は両親にたくさんの花を贈る。

5) ¿Me puede mostrar el pasaporte?
   私にパスポートをお見せいただけますか。
6) ¿Puede darnos el plano de la ciudad?
   私たちに街の案内図をくれますか。
7) No quiero vender este piso a José.
   私はホセにこのマンションを売りたくない。
8) Tengo que explicar la razón al profesor.
   私は先生に理由を説明しなくてはいけない。
9) Vamos a pedir al jefe un favor.
   上司に1つお願いごとをしよう。
10) Acabo de pedir a la profesora una cita.
    先生に合う約束をお願いしたところだ。

6 例にならって、次の文の（ ）内には目的格人称代名詞を、[ ]内には動詞あるいは動詞句を入れて、応答文を作りましょう。

例）¿Compras este CD? —Sí, (lo) [compro].「このCD買うの？」「うん、買うよ」

1) ¿Me entiendes? —Sí, (   ) [   ].
   「私（の言っていること）が分かる？」「うん、（君の言っていること）が分かるよ」
2) ¿Ves este programa? —Sí, (   ) [   ] todas las semanas.
   「君はこの番組見るの？」「うん、毎週見てるよ」
3) ¿Te llamo por teléfono luego? —Sí, (   ) [   ] a las nueve, por favor.
   「後で君に電話しようか？」「うん、9時に私に電話して、お願いね」
4) ¿Regalas esta flor a nosotros? —Sí, (   ) (   ) [   ].
   「この花は私たちに贈ってくれるの？」「うん、贈るよ」
5) ¿Me das ese cigarrillo? —No, no (   ) (   ) [   ].
   「そのタバコくれる？」「いや、あげない」
6) ¿Dices la verdad a tus padres? —Sí, (   ) (   ) [   ].
   「君は両親に本当のことを言うのかい？」「ああ、言うよ」
7) ¿Tengo que dejar esta botella? —Sí, (   ) [   ].
   「このボトルは置いていかなくちゃだめですか？」「ええ、置いていっていただかなくてはいけません」
8) ¿Me vas a comprar este juguete? —Sí, (   ) (   ) [   ].
   「ぼくにこのおもちゃ買ってくれる？」「うん、買ってあげるよ」

9) ¿Me puedes ayudar? —Sí, (　　　) [　　　　　].
「助けてもらえる？」「うん、助けてあげるよ」

10) ¿José compra esta joya a su novia? —Sí, (　　　) (　　　) [　　　　　].
「ホセはこの宝石を彼女に買ってあげるのかい？」「そう、買ってあげるんだよ」

7 日本語訳を参照しながら、次の文の（ ）内に適切な目的格人称代名詞を入れましょう。

1) ¿(　　　) quieres? —Sí, (　　　) quiero mucho.
「私のこと好き？」「うん、とっても好きだよ」

2) ¿Tú (　　　) das esta revista? —Sí, te (　　　) doy.
「私にこの雑誌くれる？」「うん、あげる」

3) ¿(　　　) das este libro? —No, te (　　　) doy.
「私にこの本くれる？」「いや、あげない」

4) ¿(　　　) oyes bien? —No, no (　　　) oigo muy bien.
「私（の声）が聞こえる？」「いや、よく聞こえないな」

5) ¿Yo mando este mensaje al jefe? —Sí, (　　　) lo mandas tú.
「このメッセージはボスに送るの？」「うん、君が送ってください」

6) ¿A dónde nos llevas? —(　　　) llevo al parque de atracciones.
「どこに私たちを連れて行ってくれるの？」「君たちを遊園地に連れて行くんだよ」

7) Papa, ¿(　　　) compras este videojuego? —No, no (　　　) (　　　) compro.
「パパ、私にこのテレビゲーム買ってくれる？」「だめ、買ってあげない」

8) ¿Pepe va a enviar este paquete a vosotros? —Sí, (　　　) (　　　) envía luego.
「ペペはこの小包を君たちに送るの？」「うん、後で送ってくれる」

9) Mañana tengo que hacer las tareas. —No, tú tienes que hacer (　　　) hoy.
「明日は宿題をしなきゃ」「いや、今日やらなきゃね」

10) Acabo de terminar el trabajo del profesor Pérez. (　　　) (　　　) tengo que mandar por correo, ¿verdad?
—Sí, (　　　) (　　　) tienes que mandar hasta este miércoles.
「ペレス先生の課題が終わったところ。郵便でそれを送らなきゃいけないんでしょ？」
「うん、水曜日までにそれを彼に送らないといけない」

11) ¿(　　　) dejo estos papeles o te (　　　) quito?
—(　　　) (　　　) dejas ahí, por favor.
「この紙は置いておこうか、それとも持って行こうか？」「そこに置いておいて、お願い」

12) ¿(   ) vas a prestar este libro?
   —No, no (   ) (   ) puedo prestar ahora. Tengo que utilizar (   ) para el trabajo. (   ) siento.
   「この本貸してくれる？」「いや、今は貸せないんだ。課題にそれを使わなくちゃいけなくて。ごめんね」

8 次のスペイン語を日本語にしましょう。

1) Siempre me escuchas. Te lo agradezco.

2) Tengo los deberes de la clase de español. Pero no los quiero hacer.

3) Ese chico es muy guapo. ¿Lo conoces?

4) ¿Te quito estas revistas?

5) Esta paella está muy buena. Te la dejo aquí.

9 次の日本語をスペイン語にしましょう。

1) このコンピュータは安いですね。（私はそれを）買います。

2) 私はこの服がほしいけれど、父は（私にそれを）プレゼントしてくれない。

3) あの車はとても高い。私たちには買えないね。

4) 私のコップがそこにあります。持ってきていただけますか？

5) 私は真実を知っているのだが、彼にそれを言うべきではない。

8 gustar 型動詞と前置詞格人称代名詞

好みや興味を表現する gustar 型動詞は、構文に注意が必要です。

まず日本語で考えてみます。「私はスペインが好きだ」という文で言えば、主語は「私」、「好き」という動作（動詞）の目的語は「スペイン」となります。これを、スペイン語では「スペインは私に好感を抱かせる」と表現します。この「好感を抱かせる」という動詞が gustar で、規則活用します。

<u>Me</u>　　　<u>gusta</u>　　　　<u>España</u>　　　．
私に　　好感を抱かせる　スペインは（主語 3 人称単数）→ 私はスペインが好き。

<u>Le</u>　　　<u>gusta</u>　　　　<u>el cine</u>　　　．（主語が後ろ）
彼に　　好感を抱かせる　映画は（主語 3 人称単数）→ 彼は映画が好き。

上の 2 つのうち下の例文では、Le を仮に「彼に」としましたが、他の可能性もあります。〈前置詞 a ＋人〉を le に重ねて記すと、le が誰か具体的に示せます。

<u>A María　　le</u>　　　<u>gustan</u>　　　<u>las películas de horror</u>　　　．
マリーアに（彼女に）　好感を抱かせる　ホラー映画が（主語 3 人称複数）
→ マリーアはホラー映画が好き。

他の gustar 型動詞：interesar（興味を抱かせる）、encantar（かなりの好感を抱かせる）、doler（痛みを感じさせる、o → ue）等

▶前置詞格人称代名詞

〈前置詞 a ＋人〉の形を用いる場合、〈人〉の部分には María のような固有名詞だけではなく、代名詞も入ります。1 人称単数は mí、2 人称単数は ti となります。それ以外は主格人称代名詞と同じです。

A **mí** me gusta esta novela. Pero a **él** no le gusta mucho.
　　私はこの小説が好きだ。しかし、彼はあまり好きではない。

mí と ti は、前置詞 con とともに conmigo、contigo となります。
　　Quieren hablar **conmigo** (**contigo**).　彼らは私（君）と話したがっている。

"A mí me..." "a él (no) le..." のように、〈a ＋人（特に前置詞格人称代名詞）〉と目的格人称代名詞を重複させるのは、gustar 型の動詞に限りません。
　　A María le mandas este archivo de PDF.　A mí me mandas el (archivo) de Excel.
　　　マリーアにはこの PDF のファイルを送ってね。私にはエクセルのを送って。

練習 8
Ejercicios

（解答：150ページ）

1 例にならって、日本語訳を参照しながら、次のスペイン語の文の（ ）内は間接目的格人称代名詞、[ ] 内は gustar 動詞を活用させて入れましょう。

例）(Me) [gusta] la música clásica.　私はクラシック音楽が好きです。

1) (Me) [gusta] el cine japonés.　私は日本映画が好きです。
2) (Me) [gustan] las frutas.　私は果物が好きです。
3) A usted (le) [gustan] las verduras, ¿no?　あなたは野菜がお好きでしょう？
4) A María (le) [gusta] la paella.　マリーアはパエーリャが好きです。
5) (Nos) [gusta] jugar al tenis.　私たちはテニスをするのが好きです。
6) ¿(Os) [gusta] estudiar?　君たちは勉強するのは好き？
7) A ellos (les) [gusta] beber, cantar y bailar.
   彼らは飲んで歌って踊るのが好きだ。
8) A Marisa y a José (les) [gusta] salir por la noche.
   マリーサとホセは夜出歩くのが好きだ。
9) ¿A ustedes (les) [gustan] nuestros menús?
   あなた方は私どもの定食がお気に召しますか？
10) A mí (me) [gusta] este vino. ¿A ti también (te) [gusta]?
    私はこのワイン好きだね。君も好き？
11) A Miguel (le) [gustas] tú.　ミゲルは君のことを気に入ってるよ。
12) A mí y a Arancha (nos) [gustan] las novelas de Mishima.
    私とアランチャは三島の小説が好きなんだ。
13) A ti y a Berta (os) [gustan] los dulces.　君とベルタは甘いものが好きだね。
14) A Marta y a Begoña (les) [gustan] las películas de horror, pero a mí, no.
    マルタとベゴーニャはホラー映画が好きだけど、私は好きじゃないね。
15) A vosotros no (os) [gusta] este plato, ¿no? A mí, tampoco.
    君たちはこの料理好きじゃないでしょう？　私も好きじゃないな。

2 例にならって、日本語訳を参照しながら、次のスペイン語の文の（ ）内は間接目的格人称代名詞、[ ] 内はそれぞれの動詞を活用させて入れましょう。

例）A mí (me) [encantar: encanta] esta canción.　私はこの歌が大好きだ。

1) (Me) [doler: duele] el estómago. （私は）胃が痛い。
2) A él (　) [interesar:　　　] tomar esa clase de japonés.
   彼は、その日本語のクラスを取ることに興味がある。
3) A Patricia (　) [apetecer:　　　] hablar con su ex.
   パトリシアは彼女の元彼氏（su ex）と話をする気になっている。

47

4) Eso a nosotros (　　) [parecer:　　　　] bien.
   それは私たちにはよさそうに見えるね。
5) ¿Qué (　　) [parecer:　　　　] este vídeo a vosotros?
   君たちにはこの動画はどう思う?
6) A ellas (　　) [encantar:　　　　] estos chicos.
   彼女たちはこの男の子たちがかなり気に入っている。
7) ¿(　　) [doler:　　　　] el pie?　(tú に対して) 足首が痛むかい?
8) Estos zapatos (　　) [parecer:　　　　] muy buenos.
   この靴は私にはとてもよさそうに見える。
9) A mí no (me) [apetecer: apetece] esta tarta de queso.
   私はこのチーズケーキを食べたいとは思わない。
10) A nosotros (　　) [importar:　　　　] tus artículos.
    私たちにとって君の書いた記事は重要だよ。
11) A ti, ¿qué (　　) [parecer:　　　　] este programa?
    君は、この番組どう思う?
12) (　Me　) [costar: cuesta] imaginar esa situación.
    (私には) その状況を想像するのは難しい (骨が折れる)。
13) A nosotros (　　) [encantar:　　　　] tener oportunidad de verla a esa actriz.
    その女優と会う機会を持つのは、私たちにとっては大変喜ばしいことです。
14) (　　) [alegrar:　　　　] esta noticia.　このニュースは私を喜ばせる。
15) ¿(　　) [importar:　　　　] si me siento aquí?
    もし私がここに座ったら、あなた (usted) はお気にさわりますか?

3 例にならって、日本語訳を参照しながら、次のスペイン語の文の (　) 内は間接目的格人称代名詞、[　] 内はそれぞれの動詞を活用させて入れましょう。さらに、それに対する応答文を作成しましょう。

例) ¿(Te) [gusta] nadar?
　　—A mí me gusta mucho. A ella, también. / —A mí, no. A ella, tampoco.
　　「君は泳ぐの好き?」
　　「私はとても好きだよ。彼女も好き」/「私は好きじゃない。彼女もだって」

1) ¿(　　) [gustar:　　　　] la comida coreana?
   —
   「君は韓国料理好き?」「うん、とても好き (encantar) だよ」

48

2) Conozco un restaurante coreano cerca de aquí.
   ¿(   ) [apetecer:] ir?

   「1つ韓国料理のレストランをこの近くで知ってるんだけど、行ってみる？」「うん、行ってみたい」

3) Esta película a mí (me) [parecer: parece] muy buena.
   A ti, ¿qué (me) [parecer: parece]?

   también

   「この映画はぼくにはとてもよかった。君はどう？」「ぼくもいいと思う」

4) A mí no (me) [costar: cuesta] hablar con el profesor. Y, ¿a ti?

   tampoco

   「私はその先生と話すのは苦じゃないよ。君は？」「ぼくも苦じゃないよ」

5) Esto a mí no (   ) [importar:] mucho. Y, ¿a ti, Jorge?

   「これは、私にとっては余り重要ではないな。ホルヘ、君は？」「ぼくにはとても重要に思えるよ」

4 次のスペイン語を日本語にしましょう。

1) A Jorge le gusta esta chica.

2) A mí me encanta escuchar música y bailar.

   escuchar をく
   encantar 大好き

3) No me molesta si este piso no tiene dos dormitorios.

4) ¿Te apetece cenar conmigo esta noche?

   Te apetece 「欲しい」

5) Este vino es de Chile y es muy bueno. ¿Le parece bien?

5 次の日本語をスペイン語にしましょう。

1) 私はこのバルのビールがとても好きです。

49

2) （私は）頭がとても痛いです。

3) 「もしここでタバコを吸ったら君は気にする？」「いいや、しないよ」

4) 彼はフランス語を習うことに興味がある。

5) 私たちは君と話せて（hablar contigo）うれしい（君と話すことが私たちを喜ばせる）。

9 再帰動詞（代名動詞）

　動詞の目的語が自分自身となる場合、その動詞を**再帰動詞**と呼びます。自分のしたことが自分に帰ってくるので「再帰」です。
　目的語となる「自分自身」を示す部分を**再帰代名詞**と呼び、主語の6パターンに応じて me / te / se / nos / os / se となります。
例：動詞 levantar「起こす」＋再帰代名詞 se「自分自身を」
→ levantarse（原形）「自分自身を起こす」＝「起床する」

	単　数	複　数
1人称	me levanto	nos levantamos
2人称	te levantas	os levantáis
3人称	se levanta	se levantan

辞書では levantar の項目に "–se" となっている場合があります。

• 用法
再帰代名詞が直接目的となる場合
　(Yo) Me llamo Pilar Conde.
　　私は私自身「を」ピラール・コンデと呼んでいる。→私の名前はピラール・コンデです。
再帰代名詞が間接目的となる場合
　(Yo) Me lavo la cara.　私は（私自身「に［対し］」）顔を洗う。
　　× Yo lavo mi cara. とは言いません。また、× Yo lavo la cara. と代名詞を欠いた形だと、誰の顔を洗うか分かりません。
強意・転意：多くは「～してしまう」と訳せる
　¿Ya te vas?　もう行っちゃうの？
　Mi padre se bebe una botella de vino todas las noches.
　　私の父は、毎晩ワインを一本飲んでしまう。
相互：「お互い～する」、「～しあう」
　Nos escribimos cada semana.
　　私たちは毎週手紙をお互いに書いている。→私たちは毎週文通している。
必ず再帰代名詞を伴う動詞
　Mi padre siempre se queja de los vecinos.
　　私の父はいつも隣人の文句ばかり言っている。

51

練習 9
Ejercicios

（解答：151 ページ）

1 （　）内のものを主語とし、次の再帰動詞を直説法現在に活用させましょう。

1) levantarse（yo）　　　　　　　2) lavarse（tú）
3) afeitarse（él）　　　　　　　　4) bañarse（nosotros）
5) ducharse（vosotros）　　　　　6) llamarse（ustedes）
7) limpiarse（ella）　　　　　　　8) explicarse（yo）
9) alegrarse（tú）　　　　　　　10) despertarse（vosotros）
11) dedicarse（José y yo）　　　　12) acostumbrarse（usted）
13) casarse（tú y Miguel）　　　　14) mirarse（Javier y Arancha）
15) sentarse（esa persona）　　　16) ponerse（yo）
17) vestirse（yo）　　　　　　　18) quitarse（vosotros）
19) dormirse（tú）　　　　　　　20) acostarse（ustedes）
21) irse（los señores）　　　　　22) comerse（yo）
23) conocerse（Luisa y Taro）　　24) quererse（nosotros）
25) verse（ellos）　　　　　　　26) quedarse（yo）
27) marcharse（yo）　　　　　　28) darse（ellos）
29) morirse（yo）　　　　　　　30) ayudarse（nosotras）

2 次の動詞の活用形を見て、例にならって動詞原形と主語を答えましょう。

例) te levantas（ *levantarse* ）[*tú*]

1) te lavas　　　（　　　）[　　]　　2) me llamo　　　（　　　）[　　]
3) te encuentras（　　　）[　　]　　4) se viste　　　　（　　　）[　　]
5) se mueren　　（　　　）[　　]　　6) nos sentamos（　　　）[　　]
7) se dedica　　（　　　）[　　]　　8) se ríen　　　　（　　　）[　　]
9) me parezco　（　　　）[　　] 10) os vais　　　　（　　　）[　　]

3 次の文の（　）内の動詞を、直説法現在に活用させましょう。主語がない場合は前後から考えましょう。

1) Pedro（levantar:　　　　　）la silla.　ペドロは椅子を起こす。
2) Pedro（levantarse:　　　　　　）a las seis.　ペドロは6時に起床する。
3) Yo（poner:　　　　　）el libro en la mesa.　私は机に本を置く。
4) Yo（ponerse:　　　　　　）la ropa.　私は服を着る。
5) Mónica（querer:　　　　　）a sus abuelos mucho.
　　モニカは祖父母をとても愛している。

6) Mónica y Gonzalo (quererse:　　　　　) mucho.
　　モニカとゴンサロはとても愛し合っている。
7) (Ir, yo:　　　　　) al baño.　私はトイレに行くね。
8) (Irse, yo:　　　　　) al hotel.　私はホテルに行ってしまうね（帰るね）。
9) En esta fiesta la gente (encontrar:　　　　　) la pareja.
　　このパーティで、人々は恋人を見つける。
10) En la conferencia la presidenta (encontrarse:　　　　　) nerviosa.
　　講演会で社長は緊張なさっている。
11) (Separar, yo:　　　　　) el grupo en dos.　私はグループを2つに分ける。
12) ¿(Separarse, nosotros:　　　　　)?　私たち、別れましょうか？
13) Ese señor siempre (quejarse:　　　　　) de nosotros.
　　その男性はいつも私たちの不満を言っている。
14) Yo no (atreverse:　　　　　) a salir de este lugar.
　　私はあえてこの場所を出て行かない。
15) Mi hermana (acostarse:　　　　　) muy tarde todas las noches.
　　私の姉（妹）は毎晩遅く就寝する。
16) Yo (lavarse:　　　　　) la cara todas las mañanas.　私は毎朝顔を洗う。
17) Nosotros (quitarse:　　　　　) los zapatos antes de entrar en la casa.
　　私たちは家に入る前に靴を脱ぐのです。
18) Mis padres y yo (escribirse:　　　　　) todos los meses.
　　両親と私は毎月手紙を送り合っている。
19) A las siete y media (marcharse, vosotros:　　　　　), ¿verdad?
　　7時半に君たちは出ていく、そうだよね？
20) ¿A qué (dedicarse, tú:　　　　　)?
　　何の仕事をしているの？（何に自分を捧げているの？）

4 例にならって、次のスペイン語の下線部を目的格人称代名詞に置き換え、全文を書き換えましょう。

例） Me quito <u>estos zapatos</u>.　私はこの靴を脱ぎます。　→ Me <u>los</u> quito.

1) Antonio se pone <u>esta ropa</u>.　アントニオはこの服を着る。

2) Mi abuelo se bebe <u>cinco cafés</u> de una vez.
　　私の祖父はコーヒーを一度に5杯も飲んでしまう。

3) Nos llevamos el mapa.　地図を持って行こう。

4) Me lavo la cara.　私は顔を洗う。

5) Me acabo de lavar la cara.　私は顔を洗ったところだ。

6) Vosotros os dais las manos.　君たちは握手をする。

7) Ustedes deben darse las manos.　あなた方は手を取り合うべきだ。

8) ¿Te vas a comer este helado?　君このアイス食べちゃう？

9) Tenéis que poneros la corbata aquí.
　　君たちはここではネクタイをしなくてはいけない。

10) No me voy a quitar la chaqueta.　私はジャケットを脱がない。

5 次のスペイン語を日本語にしましょう。

1) Me acuesto a la una de la noche normalmente.

2) Te vas a despertar a las cinco de la madrugada, ¿vale?

3) Mis padres ya no se quieren.

4) Tenéis que ayudaros.

5) El director no se encuentra en el despacho.

6) Me gusta maquillarme.

7) Nos alegramos de verte.

8) No debes quejarte de esta situación.

9) ¿Me explico?

10) Me dedico a la enseñanza de español.

6 次のスペイン語を日本語にしましょう。（　）内に動詞の指定があるときは、それを使いましょう。

1) 私たちはもう行くよ。

2) ここに座ってもいいですか？

3) もしその魚を君が食べないなら、ぼくが食べてしまう（comerse）よ。

4) 彼は両親とうまくいって（llevarse bien）いない。

5) 君は何の仕事をしているの？（dedicarse a）

10 否定語と不定語

no のように、否定文を作る語を**否定語**といいます。また、「何らか」、「誰か」のように、具体的に何・誰を指すか分からない場合に用いる語を、**不定語**といいます。

▶ **代名詞**（男性単数扱い）
- 物：algo「何か」／nada「何も〜ない」
    Siento **algo** muy incómodo.　私は何かとても不快なものを感じる。
    No puedes hacer **nada**.　君は何もできない。
  このように、否定語が動詞の後ろにある場合、動詞の前に no を置きます。
- 人：alguien「誰か」／nadie「誰も〜ない」
    Alguien me ayuda. ―**Nadie** te ayuda.　「誰か私にお助けを」「誰も君を助けないよ」
  このように、否定語が動詞の前に来る場合は、no を入れる必要はありません。

▶ **形容詞・代名詞**（性数一致、物・人共通）
- alguno / a / os / as：「何らかの」。名詞を省略して「何らかの物・人」
- ninguno / a / os / as：「何も／誰も〜ない」
  男性単数名詞の前に来る場合、algún / ningún となります。
    ¿Hay **algún** libro interesante? ―No, **ninguno**（= ningún libro interesante）.
    「何か面白い本ある？」「いや、（面白い本は）何も」

▶ **その他**
- nunca / jamás：「決して〜ない」
    Nunca hago esa tontería.　私はそんな馬鹿な真似は決してしない。
    （no と併用時の位置：No hago **nunca** esa tontería.）
- tampoco（también の否定）：「〜もまた〜でない」
    No me gusta nada de eso. ―A mí, **tampoco**（me gusta）.
    「私はそれが全然好きではない」「私もだ」（no と併用：A mí no me gusta **tampoco**.）
- apenas：「ほとんど〜ない」
    Apenas me miras. / No me miras **apenas**.　君は私をほとんど見もしない。
- poco / a / os / as（un poco [少し〜] の否定）：「少ししか〜ない」名詞、動詞、形容詞を修飾します。
    Viene muy **poca** gente.　ほとんど人が来ない。
    Jorge estudia **poco**.　ホルヘはほとんど勉強しない。
    Esa señora es **poco** agradable.　その女性はあまり感じがよくない。

練習 10
Ejercicios

（解答：152 ページ）

1 日本語訳を参照しながら、次の文の（　）内に、algo / alguien / nada / nadie のうちどれかを入れましょう。

1) ¿Hay (　　　　) nuevo? —No, no hay (　　　　) nuevo.
   「何か新しいものある？」「いや、何もないよ」
2) ¿Hay (　　　　) en la casa? —No, no hay (　　　　).
   「誰か家の中にいる？」「いや、誰もいないよ」
3) Aquí pasa (　　　　) extraño.　ここは何か妙なことが起こる。
4) Viene (　　　　) para cuidar a los niños.　誰かが子供の面倒を見に来る。
5) No me gusta (　　　　) de esta película.
   私はこの映画が大嫌いだ（何も好きではない）。
6) No te odia (　　　　).　誰も君のことを憎んでなんかいない。
7) Este chico tiene (　　　　).　この青年は何か持っているぞ。
8) Muchas gracias. —De (　　　　).　「どうもありがとう」「どういたしまして」
9) A (　　　　) le gusta esta ciudad.　この街は誰も好まない。
10) Quiero prestar esta casa a (　　　　).　誰かにこの家を貸したい。

2 日本語訳を参照しながら、次の文の（　）内に、alguno / ninguno の適切な形を入れましょう。　ココカラ

1) ¿En aquella tienda venden (　　　　) libro? —No, no venden (　　　　).
   「あの店には何か本は売ってますか？」「いいえ、何（の本）も売っていません」
2) ¿Aquí hay (　　　　) bebida fría? —No, no tenemos (　　　　).
   「ここには冷たい飲み物はある？」「いや、ないですね」
3) (　　　　) de estos chicos es de España.
   この青年たちのうちの誰か一人はスペイン出身である。
4) ¿Todos vosotros sois estudiantes de español?
   —Sí, pero (　　　　) estudian francés también.
   「君たちは全員スペイン語の学生？」「はい、でも何人かはフランス語も勉強しています」
5) ¿Hay (　　　　) novedad? —No, (　　　　).
   「何か変わったことあった？」「いや、何も」
6) (　　　　) de estas chicas es peruana.
   これらの女性のうちの誰か一人はペルー人である。
7) En esta librería no hay (　　　　) libro interesante.
   この本屋には何も興味を引く本がない。
8) No duerme en clase (ninguno) de los alumnos.
   学生の誰一人として授業中眠らない。

9) Ya me conocen (   ) de ustedes.
   あなた方のうちのどなたかは、既に私をごぞんじでしょう。
10) A mí (   ) de estas bolsas me gusta.
    これらバッグのうちどれも私は好きではない。

3 日本語訳を参照しながら、次の文の（ ）内に、un poco / poco / nunca / apenas / también / tampoco のうちどれかを選び、必要に応じて形を変えて入れましょう。

1) Hace (   ) calor. あまり暑くない。
2) Hay (   ) gente. あまり人がいない。
3) En este aparcamiento hay (   ) coches.
   この駐車場にはほとんど車はない。
4) (   ) personas saben de este accidente.
   この事故についてはほとんどの人が知らない。
5) Hace (   ) de frío. 少し寒い。
6) Aquel hombre es muy (   ) agradable. あの男性はちっとも感じがよくない。
7) Tengo (   ) de fiebre. 少し熱がある。
8) Estos chicos hablan muy (   ). この青年たちはほとんど話さない。
9) Estoy (   ) preocupado de ti. 私は少し君のことが心配なんだ。
10) Estos años José y yo no nos vemos (   ).
    ここ数年、ホセと私はほとんど顔を合わせない。
11) (   ) voy al gimnasio. ジムにはほとんど行かない。
12) No me gusta nada de esta canción. —A mí, (   ).
    「私はこの歌は全然好きじゃない」「私もだよ」
13) Yo (   ) te quiero. 私も君を愛しているよ。
14) (   ) voy a tener teléfono móvil. 私は決して携帯電話は持たない。
15) Mi mujer no me hace caso (   ).
    私の妻は、全く私の言うことを聞かないんだ。

4 例にならって、次のスペイン語の文を書き換えましょう。

例) No voy a hacer esto <u>nunca</u>. → <u>Nunca</u> voy a hacer esto. 私は決してこれをしない。

1) No me gustan las películas de horror <u>tampoco</u>.
   私もホラー映画が好きではない。（tampoco を先頭に）

2) No va a venir <u>nadie</u>.　誰も来ないだろう。（nadie を先頭に）

3) <u>Nunca</u> vuelvo a ver a aquella persona.
　　私はあの人と再び会うことは決してない。（no を先頭に付して）

4) <u>Ninguno de esos chicos</u> me interesa.
　　私はその男たちの誰にも興味が無い。（no を先頭に付して）

5) <u>Tampoco</u> conduzco mal.　私だって運転が下手なわけではない。（noを先頭に付して）

5 例にならって、次のスペイン語の文を書き換えましょう。

例）<u>No</u> debes hacer <u>nada</u>.　君は何もしてはいけない。
　　→ Debes hacer <u>algo</u>.　君は何かしなくてはいけない。

1) Esto <u>no</u> tiene <u>nada</u> que ver con el accidente.　これは事故とは何も関係がない。
　　→これは事故と何か関係がある。

2) <u>No</u> debes tirar <u>ninguna</u> de estas revistas.
　　これら雑誌のうち一冊も捨ててはいけない。
　　→これら雑誌のうち何か一冊を捨てなくてはいけない。

3) En estas vacaciones quiero hacer <u>algo</u>.　この休みに私は何かしたい。
　　→この休みには私は何もしたくない。

4) Siempre me ayuda <u>alguien</u>.　いつも誰かが助けてくれる。
　　→いつも誰も助けてくれない。

5) <u>Alguno</u> de vosotros tiene que salir de aquí.
　　君たちのうちの誰かがここを去らなくてはいけない。
　　→君たちのうちの一人もここを去らなくてもよい。

6 次のスペイン語の文のうち、間違っているものを 5 つ選んで番号を答えましょう。

1) Alberto estudia matemáticas pocas.
   アルベルトはほとんど数学の勉強をしない。
2) Pocos me conocen aquí.　ここでは私を知っている人は多くない。
3) Me interesa esta novela de Haruki Murakami, tampoco.
   私はこの村上春樹の小説にも、興味がない。
4) Esta persona es poco inteligente.　この人物はあまり知的ではない。
5) ¿Queda algo bueno?　何かいいもの残ってる？
6) Alguien de nosotros no dice la verdad.　我々のうちの誰かが真実を言っていない。
7) No vamos a fumar nunca.　私たちは決してタバコを吸わないぞ。
8) Pepe no habla a ningúno.　ペペは誰にも話しかけない。
9) A Miguel también le encanta ver los partidos de fútbol.
   ミゲルもサッカーの試合を見るのが好きだ。
10) Ninguno de estos chicos están contento.
    この青年たちの誰一人として満足していない。

7 次のスペイン語を日本語にしましょう。

1) Esa noticia no le va a gustar a nadie.

2) Hay muy poca gente en el concierto.

3) Apenas veo a los padres estos años.

4) Alguien me ayuda, por favor.

5) Nunca te voy a engañar.

6) Yo no tengo nada que ver con esta empresa.

7) ¿Pasa algo malo?

8) En aquella librería siempre hay algunos libros interesantes.

9) Mi madre come poco.

10) A nosotros tampoco nos apetece ir a la fiesta.

8 次の日本語をスペイン語にしましょう。

1) 彼はあまり飲まない。

2) 私の息子も勉強したがらない（querer ＋原形）んだよ。

3) この本はほとんど私の興味を引かない。

4) この部屋には雑誌があまりない。

5) 君たちのうちの誰かが、彼にそれを言わなければならない。

11 比較級と最上級

▶ **比較級**

優等比較（A は B より～）：A ＋動詞＋ **más** ～ que B
劣等比較（A は B ほど～ではない）：A ＋動詞＋ **menos** ～ que B
同等比較（A は B と同じくらい～）：
　　A ＋動詞＋ **tan** ～ como B（～には形容詞・副詞。性数一致なし）
　　A ＋動詞＋ **tanto / a / os / as** ～ como B（～には名詞。性数一致あり）

形容詞の比較：

　Teresa es alta.　テレサは背が高い。
　Teresa es **más** alta **que** Gonzalo.　テレサはゴンサロより背が高い。
　Teresa es **menos** alta **que** Gonzalo.
　　テレサはゴンサロほど背が高くない。（テレサはゴンサロより背が低い）
　Teresa es **tan** alta **como** Gonzalo.　テレサはゴンサロと同じくらい背が高い。

副詞の比較：

　Teresa corre **más** rápido **que** Gonzalo.　テレサはゴンサロより速く走る。
　Teresa corre **menos** rápido **que** Gonzalo.　テレサはゴンサロほど速く走らない。
　Teresa corre **tan** rápido **como** Gonzalo.　テレサはゴンサロと同じくらい速く走る。

▶ **比較級の不規則形**

- mucho / a / os / as → más（形容詞・副詞、性数一致なし）
　Teresa tiene **más** novelas **que** Gonzalo.　テレサはゴンサロより小説を持っている。
　Teresa come **más que** Gonzalo.　テレサはゴンサロよりたくさん食べる。
　cf. Teresa tiene **más de** diez mil novelas.
　　テレサは1万冊以上の小説を持っている。
- poco / a / os / as → menos（形容詞・副詞、性数一致なし）
　Teresa tiene **menos** novelas **que** Gonzalo.
　　テレサはゴンサロほど小説を持っていない。
　Teresa come **menos que** Gonzalo.　テレサはゴンサロほど食べない。
　cf. Teresa tiene **menos de** diez novelas.
　　テレサは小説を10冊以下しか持っていない。
- bueno / a / os / as → mejor (es)（形容詞、数一致のみ）
　Estas computadoras son **mejores** que aquellas.
　　これらのコンピュータはあれらよりよい。

- bien → mejor（副詞、性数一致なし）
    Estas chicas cantan **mejor** que ellos.　この女の子たちは彼らより上手く歌う。
- malo / a / os / as → peor (es)（形容詞、数一致のみ）
    Estas computadoras son **peores** que aquellas.
        これらのコンピュータはあれらより悪い。
- mal → peor（副詞、性数一致なし）
    Estas chicas cantan **peor** que ellos.　この女の子たちは彼らより歌うのが下手だ。
- grande(s) → más grande(s)（目に見えるものの比較は規則形）、mayor(es)（見えない、見えにくいものは不規則形）
    José es **mayor** que María.
        ホセはマリーアより年上（偉大）だ。（年齢・存在感は目に見えない）
- pequeño / a / os / as → más pequeño / a / os / as（見えるものは規則形）、menor (es)（見えない、見えにくいものは不規則形）
    José es pequeño.　ホセは小柄だ。／ホセは幼い。
    José es **más pequeño** que Alejo.
        ホセはアレホより小柄だ。（体の大きさは目に見える）
    José es **menor** que Alejo.　ホセはアレホより年下だ。

▶ 相対最上級
〈定冠詞＋優等・劣等比較＋ de ＋名（ある集団）〉
意味は「（ある集団）の中で一番（形・副）だ」です。

　　Teresa es **la**（chica, mujer, etc.）**más** alta **de** los cuatro.
　　　テレサは4人（男女混合）の中で最も背が高い。
　　Teresa es **la**（chica, mujer, etc.）que corre **más** rápido **de** los cuatro.
　　　テレサは4人（男女混合）の中で最も速く走る。（la que については［☞第21章］）
　　Teresa tiene **el** pelo **más** largo **de** las cuatro.
　　　テレサは4人（の女性）の中で最も長い髪を持っている（髪が長い）。

▶ 絶対最上級
〈形容詞男性単数形／副詞（語尾が母音の場合は取る）＋ ísimo / a / os / as（形容詞は性数一致、副詞は ísimo)〉
意味は「とても（形・副）」です。

　　alto ＋ ísimo → altísimo　　útil ＋ ísimo → utilísimo
　　largo → larg**u**ísimo（× largísimo）　　amplio → amplísimo（× ampliísimo）
　　amable → amab**i**lísimo（× amablísimo）

練習 11
Ejercicios

（解答：153 ページ）

1 日本語訳を参照しながら、次の文の（ ）内に、más / menos / tanto / tan / que / como / de のうちどれかを入れましょう。tanto は必要に応じて形を変えましょう。

1) Juan es (　　　) rico (　　　) yo.　フアンは私より金持ちだ。
2) Yo estoy (　　　) aburrido (　　　) Jorge.　私はホルヘほど退屈していない。
3) Mónica parece (　　　) contenta (　　　) Concha.
   モニカはコンチャと同じくらい満足しているように見える。
4) Ese restaurante está (　　　) cerca de aquí (　　　) aquel.
   そのレストランは、あれよりここに近い。
5) Nos vemos (　　　) a menudo (　　　) antes.
   私たちは以前ほど頻繁に会っていない。
6) Yo puedo cocinar (　　　) bien (　　　) tú.
   私だって君と同じくらい上手く料理できるさ。
7) Voy a hablar (　　　) despacio.　もっとゆっくり話しますね。
8) Pepe tiene un pelo (　　　) largo (　　　) el de Miriam.
   ペペはミリアムと同じくらい長い髪をしている。
9) Jorge no es (　　　) alto (　　　) Alejandro.
   ホルヘはアレハンドロと同じかそれ以上に背が高い。
10) No me levanto (　　　) temprano (　　　) antes.
    私も以前ほど早起きじゃないですね。
11) No estás (　　　) delgado (　　　) yo.　君は私ほど痩せていない。
12) Luisa no es (　　　) amable (　　　) Ana.
    ルイサはアナほど優しい人ではない。
13) Este libro es (　　　) (　　　) caro (　　　) esta librería.
    この本は、当書店で最も高価な本です。
14) Mi novia es (　　　) (　　　) guapa (　　　) todo el mundo.
    私の恋人は世界一美人だ。
15) Ellos son (　　　) (　　　) fuertes (　　　) la policía nacional.
    彼らは国家警察で最強だ。
16) Marta es (　　　) que sale (　　　) tarde (　　　) la oficina.
    マルタは事務所の中で出るのが一番遅い。
17) Pilar y Sonia son (　　　) que viven (　　　) lejos del colegio (　　　) la clase.　ピラールとソニアがクラスで学校から最も遠くに住んでいる。
18) Paco tiene (　　　) dinero (　　　) yo.　パコは私よりお金を持っている。
19) Gonzalo tiene (　　　) libros (　　　) Manuel.
    ゴンサロはマヌエルほど多くの本を持っていない。

20) José tiene (   ) revistas de cine (   ) el profesor Rodríguez.
   ホセはロドリゲス先生と同じくらい多くの映画雑誌を持っている。
21) Mi amigo Carlos va al estadio (   ) veces que yo.
   私の友達カルロスは、私より多く（多い回数）スタジアムに行く。
22) No tengo (   ) libros (   ) tú.
   私が君以上に本を持っているということはない。
23) Este señor come (   ) (   ) yo.
   こちらの方は私と同じぐらい召し上がりますよ。
24) Pueden aparcar (   ) (   ) 100 coches aquí.
   100台以上の車がここに駐車することが出来る。
25) Mariano tiene (   ) (   ) 50 años de edad.　マリアーノは50歳以下だ。

2 日本語訳を参照しながら、次の文の（　）内から正しいものを選びましょう。

1) Ya no puedo comer (mucho / tanto / más / menos).
   私はもうこれ以上食べられない。
2) A Luis le interesa (tanto / menos / mayor / mejor) el fútbol que a Tomás.
   ルイスはトマスよりサッカーに興味がない。
3) Este ordenador es (más bueno / mejor / mayor) que ese.
   このコンピュータは、それより上等だ。
4) Esta torre es (más grande / mejor / mayor) que esa.
   この塔はその塔より大きい。
5) Los chicos de este equipo son (más bueno / mejor / más buenos / mejores / más grande / mayor / más grandes / mayores) que los de otro.
   このチームの男子たちは、他のチームよりいい選手だ。
6) Mi padre tiene (mejor / mejores / mayor / mayores) coche que el mío.
   私の父は、私よりいい車を持っている。
7) Yo tengo (mejor / mejores / mejoras) computadoras que los de Santiago.
   私は、サンティアゴよりもいいコンピュータを持っている。
8) José juega al tenis (mejor / peor / mayor / menor) que yo.
   ホセは私よりテニスが上手い。
9) Mi madre es (más grande / mayor / más pequeña / menor) que mi padre.
   私の母は私の父より年上だ。
10) En los exámenes yo normalmente saco (mejor / peor / mejores / peores) resultados que los de mi hermano (mejor / peor / mayor / menor).
   試験では普通私が弟よりも成績が悪い。

65

11) Las verduras de aquel mercado son (mejor / peor / mejores / peores) que las de este.
    あの市場の野菜は、この市場の野菜よりよくない。
12) Las chicas de esta clase cantan (más bien / mejor / más buenas / mejores) que los chicos.
    このクラスの女子は男子より上手く歌う。
13) Arancha es físicamente (más grande / mayor / más pequeña / menor) que Teresa.　アランチャはテレサよりも小柄だ。
14) Estos edificios son (más grandes / mayores / más pequeños / menores) que los del otro lado.
    これらの建物は向こう側の建物よりも大きい。
15) Este chico es (uno / una / el / la) más alto de la clase.
    この男の子はクラスで一番背が高い。
16) Patricia y Berta son (unos / unas / los / las) chicas (más guapa / menos guapa / más guapas / menos guapas) de la clase.
    パトリシアとベルタはクラスで最も美人だ。
17) José va a comprar (un / una / el / la) coche (más caro / más cara / menos caro / menos cara) de esta tienda.
    ホセはこの店で最も高い車を買うつもりだ。
18) María es (el / la / un / una) (que / como) (más bien / mejor / más bienes / mejores) canta de la clase.
    マリーアはクラスで最も歌がうまい。
19) Aquellas abuelas gemelas son (unos / unas / los / las) (más grandes / más pequeñas / mejor / mejores / mayor / mayores) del barrio.
    あの双子のおばあさんは地区で最年長だ。
20) Los alumnos de esta escuela son (un / unos / el / los) (que / como) (más buena / más buenas / mejor / mejores / mejoras) notas van a sacar de este campeonato de Matemáticas.
    この塾の学生は、数学の大会で最高成績を取るだろう。

3 日本語訳を参照しながら、次の文の（　）内に適切な語を入れましょう。

1) María es (　　　　) (　　　　　) Manolo.　マリーアはマノロよりも年下だ。
2) Yo no como (　　　　) (　　　　　) mi marido.　私は夫ほど食べませんよ。
3) Los tenistas españoles son (　　　　　) (　　　　　) del mundo.
    スペインのテニス選手は、世界最高の選手たちである。

4) Es que ellos juegan (　　　) (　　　) los otros jugadores.
   彼らが他の選手たちよりプレーが上手だということである。

5) Jaime es (　　　) (　　　) (　　　) baila de este equipo.
   ハイメはこのチームで踊りが最も上手い。

6) Yo no tengo (　　　) (　　　) una casa.　私は１つしか家はないよ。

7) De la historia de Japón, este señor sabe (　　　) (　　　) yo.
   日本史については、こちらの方が私よりもご存じです。

8) Jaime es (　　　) (　　　) de todos los estudiantes.
   ハイメは全学生の中最悪だ。

9) Teresa es (　　　) (　　　) (　　　) canta del mundo.
   テレサは世界一歌がうまい。

10) Esta es (　　　) clase (　　　) (　　　) quiero tomar.
    これが一番取りたい授業だね。

4 例にならって、次のスペイン語の文を日本語に合うように書き換え、下線部を比較する文を作りましょう。

例) José es <u>amable</u>. (Pablo)　ホセはパブロより親切だ。
   → José es más amable que Pablo.

1) Soy <u>alto</u>. (Daniela)　私はダニエラより背が高い。

2) Los pisos de ese barrio son <u>baratos</u>. (los de aquí)
   その地区のマンションはここのより安くないよ。

3) Mi hermana mayor tiene <u>muchos</u> libros. (mi padre)
   私の姉は、父よりたくさんの本を持っている。

4) Pedro tiene una casa <u>grande</u>. (la mía)　ペドロは私より大きな家を持っている。

5) Miguel es <u>pobre</u>. (Francisco)　ミゲルはフランシスコより貧しくない。

6) Nosotros jugamos <u>bien</u>. (vosotras)
   私たちは君たちより上手くプレーしなかった。

7) Ese señor es <u>mala</u> persona. (mi jefe)　その男性は私の上司より嫌な人間だ。

8) Aquella biblioteca tiene <u>muchos</u> libros. (esta)
　　あの図書館はこの図書館と同じくらいの本を持っている。

9) Esta ventana es <u>fácil</u> de abrir. (aquella)
　　この窓はあの窓と同じくらい開けるのが簡単だ。

10) La paella de aquí sabe <u>bien</u>. (la de nuestro restaurante)
　　ここのパエーリャは私たちのレストランと同じくらい美味しいな。

5 例にならって、次のスペイン語の文を日本語に合うように書き換え、下線部を強調する最上級の文を作りましょう。

例) Pablo es <u>amable</u>. (la clase)　パブロはクラスでいちばん優しい。
　　→ Pablo es el más amable de la clase.

1) Soy <u>alto</u>. (la clase)　私はクラスで一番背が高い。

2) Patricia es <u>alegre</u>. (la familia)　パトリシアは家族で一番陽気だ。

3) Tú comes <u>mucho</u>. (la familia)　君は家族で一番食べる。

4) Marisa y yo somos <u>mayores</u>. (este grupo)
　　マリーサと私はこのグループで最年長だ。

5) Usted sabe <u>mucho</u> de francés. (esta universidad)
　　あなたはこの大学で最もよくフランス語をご存知ですね。

6) Eres una <u>mala</u> persona. (el mundo)　君は世界最悪の人物だな。

7) Juana conduce <u>bien</u>. (nosotras las cuatro)
　　フアナは私たち4人で最も運転が上手い。

8) Esta chica es pequeña. (la clase)　この女の子はクラスで最も年下だ。

9) Mi hijo baila mal. (esa escuela de baile)
   私の息子はそのダンススクールで最も踊りが下手だ。

10) En esta cafetería sirven buen café. (de esta zona)
    このカフェテリアでは、この辺りで一番のコーヒーを出してくれる。

6 次の形容詞・副詞を絶対最上級にしましょう。

1) mucho　　　　　　　　2) corto
3) bajos　　　　　　　　4) difícil
5) largo　　　　　　　　6) limpia
7) poco　　　　　　　　8) blancas
9) amable　　　　　　　10) imposible

7 次のスペイン語を日本語にしましょう。

1) Esta bolsa es menos cara que esa.

2) Daniel es mayor que tú.

3) Eres la que mejor habla español de esta clase.

4) Este libro es facilísimo.

5) Nadie puede escribir tantas novelas como Akagawa Jiro.

8 次の言葉を並べ換えて、日本語に合うようなスペイン語の文にしましょう。動詞や形容詞などは必要に応じて形を変えましょう。

1) アルムデナはニナより疲れている。
   (Almudena, cansado, estar, más, Nina, que)

2) あなたは私と同じぐらい宝石を持っている。
   (como, joyas, tanto, tener, usted, yo)

3) ここには50人も人はいない。
   (aquí, cincuenta, de, haber, menos, personas)

4) アンドレスの家は私たちの家よりいい家だ。
   (Andrés, casa, de, la, la, mejor, nuestro, que, ser)

5) パブロは私の兄弟の中で一番勉強する。
   (de, el, estudiar, hermanos, más, mi, Pablo, que, ser)

9 次の日本語をスペイン語にしましょう。

1) この家は、私の家より大きい。

2) 彼は20歳以上だ（tener 〜 años de edad）。

3) 私が家族の中で一番食べない。

4) これは、東京で一番美味しいイタリアンレストランです。

5) 私は君ほどたくさん雑誌を持ってないよ。

12　天候・時間

▶ **天候**：通常 3 人称単数に活用します。

¿Qué tiempo hace hoy / mañana?
　今日／明日はどんな天気？（疑問詞が qué であることに注意）

hacer buen / mal tiempo:
　Hoy **hace** muy **buen** / **mal** tiempo.　今日は天気がとてもよい／悪い。

hacer sol:
　Hoy **hace** mucho **sol**.　今日は日差しが強い（太陽がたくさん照っている）。

hacer viento:　Hoy no **hace** mucho **viento**.　今日はあまり風がない。

llover (o → ue)：Ahora no **llueve**.　今は雨が降っていない。

nevar (e → ie)：**Nieva** mucho.　雪がたくさん降る。

estar nublado:　**Está nublado** un poco.　少し曇っている。

estar despejado / soleado:
　Esta mañana **está despejado / soleado**.　今朝は晴れている。

▶ **時刻**

　動詞は ser を用い、1 時は 3 人称単数、2 時以降は 3 人称複数に活用します。これは、1 時間 hora が 1 つか 2 つ以上（複数）かによります。y はプラス、menos はマイナスを指します。cuarto は 4 分の 1 時間＝ 15 分、media は半時間＝ 30 分となります。

　¿Qué hora es?　何時？

　Es la una.　1 時です。

　Son las dos en punto.　2 時ちょうどです。

　Son las tres y cuarto.　3 時 15 分です。

　Son las cinco y media.　5 時半です。

　Son las siete menos doce.　7 時 12 分前です。／6 時 48 分です。

　Son las diez y dieciséis de la mañana (tarde / noche).
　　午前（午後／夜）10 時 16 分です。

「何時に～する」では、〈前置詞 a ＋時刻〉の形を用います。動詞「～する」は、その主語に応じて活用します。

　¿A qué hora sale / se pone el sol?
　　日は何時に昇る／沈むの？（日の出／日の入りは何時？）

　¿A qué hora nos vemos?　—Nos vemos a las seis y media.
　　「（私たちは）何時に会おうか？」「6 時半にしよう」

　¿A qué hora estamos?　—Estamos a las once y media.　「今何時？」「11 時半です」

日付は estar の 1 人称複数でたずねます。
    ¿A cuántos estamos? —Estamos a ocho de noviembre.
      「今日は何日？」「11 月 8 日だよ」
曜日は ser の 3 人称単数でたずねます。
    ¿Qué día es hoy? —Hoy es viernes. 「今日は何曜日？」「今日は金曜日です」

▶ 時間に関わる単語のまとめ

segundo 秒   minuto 分   hora 時間

día 日   semana 週   mes 月   año 年

曜日：lunes 月曜   martes 火曜   miércoles 水曜   jueves 木曜
      viernes 金曜   sábado 土曜   domingo 日曜

月：enero 1月   febrero 2月   marzo 3月   abril 4月
    mayo 5月   junio 6月   julio 7月   agosto 8月
    septiembre 9月   octubre 10月   noviembre 11月   diciembre 12月

季節：primavera 春   verano 夏   otoño 秋   invierno 冬

曜日・月・季節は前置詞 en と共に用います。冠詞や指示形容詞などがつくときには en が外れることがほとんどです。
    Luis no viene los lunes. ルイスは月曜は来ないよ。（冠詞ありなので en なし）
    En invierno hace muchísimo viento en esta zona.
      冬にこの地域ではかなりの風が吹きます。（冠詞なしなので en あり）
    Este verano voy a viajar a México.
      この夏私はメキシコに旅をします。（指示形容詞ありなので en なし）

練習 12
Ejercicios

（解答：155 ページ）

1 日本語訳を参照しながら、次の文の（　）内に、枠内から動詞を選び、活用させて入れましょう。1 つの動詞を何回使っても構いません。

```
estar, hacer, llover, nevar, ser
```

1) Hoy（　　　　　） mucho viento.　今日はたくさん風が吹いている。
2) No（　　　　　） tanto como ayer.　昨日ほど雨は降っていない。
3) （　　　　　） a veinte hoy.　今日は 20 日です。
4) （　　　　　） la una y cuarto.　1 時 15 分です。
5) No（　　　　　） nublado.　曇ってはいない。
6) （　　　　　） las ocho y media de la tarde.　午後 8 時半だ。
7) Este invierno（　　　　　） mucho.　この冬は雪がたくさん降っている。
8) Hoy（　　　　　） jueves.　今日は木曜日です。
9) （　　　　　） a las doce de la noche.　夜 12 時です。
10) （　　　　　） muy mal tiempo.　天気がとても悪い。

2 次のスペイン語の文は全て時刻を表現しています。日本語にしましょう。

1) Son las diez.
2) Es la una y diez.
3) Son las once y media.
4) Son las cinco menos tres.
5) Son las doce en punto.
6) Es la una y veinte de la mañana.
7) Son las cuatro menos cuarto de la tarde.
8) Son las nueve y veintitrés.
9) Es la una menos diez.
10) Son las diez y cuarto de la noche.
11) Estamos a las dos y media de la mañana.
12) Estamos a la una y cuarto de la tarde.
13) Estamos a las siete menos siete.
14) Estamos a las tres y trece.
15) Estamos a las cuatro menos catorce.
16) Son las cinco y veintiséis de la mañana.
17) Estamos a la una en punto.
18) Son las seis y ocho de la tarde.
19) Son las ocho y dieciocho de la mañana.
20) Son las once menos doce de la noche.

3 次のスペイン語の文のうち、間違っているものを5つ選んで番号を答えましょう。

1) Estamos a las cuatro y cuarto.　4時15分です。
2) ¿Qué hora empieza el partido?　試合は何時に始まるの？
3) Son las cinco menos diez en Canarias.　カナリア諸島では5時10分です。
4) Este verano hace poco calor.　この夏はあまり暑くない。
5) Son la una de la tarde.　午後1時です。
6) ¿Qué día es hoy? —Es jueves.　「今日は何曜日？」「木曜日だよ」
7) Estos días llueve mucho, ¿no?　ここ数日たくさん雨が降るよね。
8) Vamos a estudiar más en este otoño.　今年の秋はたくさん勉強しよう。
9) Los sábados no trabajamos.　土曜日は我々は働かない。
10) Estamos despejados.　晴天だ。

4 次のスペイン語を日本語にしましょう。

1) Aquí en verano no hace mucho calor.

2) Hoy está despejado.

3) En esa zona nunca nieva.

4) Hace poco frío hoy.

5) Esta semana hace muy buen tiempo.

6) Este junio no va a llover tanto como el año pasado.

7) Hoy hace más viento que ayer.

8) Este invierno no hace tanto frío como el año pasado.

9) Son las tres y media de la madrugada.

10) La reunión va a terminar a las ocho de la noche.

11) ¿A qué hora pone la luna?

12) Estamos a las siete y veinte.

13) Estamos a treinta hoy.

14) Hace mucho tiempo que estoy sin trabajo.

15) ¿Qué día es hoy? —No lo sé.

5 次の日本語をスペイン語にしましょう。

1) 今何時ですか？

2) 今日は何日ですか？

3) 今日は何曜日ですか？

4) 今日はどんな天気ですか？

5) 今、午後8時ぴったりです。

6) 今、朝の3時45分です。

7) スペイン語を勉強して10年になる。

8) 会議は何時に終わるんですか？

9) この春は天気が悪い。

10) 何時に待ち合わせする（quedar）？

13 　直説法点過去（単純完了過去）

　スペイン語で過去のことについて述べたい場合、まず第一候補としてこの点過去（単純完了過去）を考えます。直説法で「〜過去」と名前のある時制は4つありますが、使い分けは第17章を参照してください。

規則活用：原形語尾2文字を置換えます。

hablar

	単数	複数
1	hablé	hablamos
2	hablaste	hablasteis
3	habló	hablaron

comer

単数	複数
comí	comimos
comiste	comisteis
comió	comieron

vivir

単数	複数
viví	vivimos
viviste	vivisteis
vivió	vivieron

er 動詞と ir 動詞の規則活用語尾は共通です。

1人称単数の綴りに要注意の動詞：
　llegar → llegué（× llegé）　　他：pagar → pagué
　buscar → busqué（× buscé）　　他：arrancar → arranqué
　comenzar → comencé（× comenzé）他：empezar → empecé, lanzar → lancé
　averiguar → averigüé（× averigué, averigé）
原形の語尾が母音＋ir/erの場合、3人称単数・複数でi → y。
　leer：leí, leíste, leyó, leímos, leísteis, leyeron　他：oír → oyó, oyeron

不規則活用1：以下全て語尾が［-e, -iste, -o, -imos, -isteis, -ieron］。さらに3分割できます（表内太字部をよく見てみましょう）。

tener	estar	poder	poner	saber	haber
tuve	estuve	pude	puse	supe	(hube)
tuviste	estuviste	pudiste	pusiste	supiste	(hubiste)
tuvo	estuvo	pudo	puso	supo	hubo
tuvimos	estuvimos	pudimos	pusimos	supimos	(hubimos)
tuvisteis	estuvisteis	pudisteis	pusisteis	supisteis	(hubisteis)
tuvieron	estuvieron	pudieron	pusieron	supieron	hubieron

venir	hacer	querer
vine	hice	quise
viniste	hiciste	quisiste
vino	hizo (×hico)	quiso
vinimos	hicimos	quisimos
vinisteis	hicisteis	quisisteis
vinieron	hicieron	quisieron

不規則活用 2：全て語尾が [-je, -jiste, -jo, -jimos, -jisteis, -jeron] となります。
　注意：3 人称複数の語尾は -jeron。"× -jieron" ではありません。

decir	traer	*distraer*	conducir	*producir*
dije	traje	*distraje*	conduje	*produje*
dijiste	trajiste	*distrajiste*	condujiste	*produjiste*
dijo	trajo	*distrajo*	condujo	*produjo*
dijimos	trajimos	*distrajimos*	condujimos	*produjimos*
dijisteis	trajisteis	*distrajisteis*	condujisteis	*produjisteis*
dijeron	trajeron	*distrajeron*	condujeron	*produjeron*

不規則活用 3：以下の 2 条件を満たす場合のみ 3 人称で e → i、o → u に変化：① ir 動詞、②直説法現在形で語幹母音変化（o → ue 等）。活用語尾は ir 動詞規則活用と同様です。

sentir	pedir	seguir	repetir *	dormir
sentí	pedí	seguí	repetí	dormí
sentiste	pediste	seguiste	repetiste	dormiste
sintió	pidió	siguió	repitió	durmió
sentimos	pedimos	seguimos	repetimos	dormimos
sentisteis	pedisteis	seguisteis	repetisteis	dormisteis
sintieron	pidieron	siguieron	repitieron	durmieron

＊原形に e が 2 箇所あるが、e → i とするのは語尾の直前の e のみ。

不規則活用 4：完全不規則形。どれも重要な意味の動詞です。

dar	ser・ir
di	fui
diste	fuiste
dio	fue
dimos	fuimos
disteis	fuisteis
dieron	fueron

• 用法

過去のすでに完了したことについて述べるときに用います。英語の過去形に相当すると考えてください。

  Salió de la casa a las ocho de la tarde. 彼は午後 8 時に家を出た。
  Anoche ***hablé*** por teléfono toda la noche con mi novia.
   昨晩私は恋人と一晩中電話で話した。
  La era de Edo ***duró*** más de dos siglos y medio. 江戸時代は 2 世紀半以上も続いた。
  Ellos ***se conocieron*** hace dos años.
   彼らは 2 年前に知り合った。（hace ＋期間：〜前）
  cf. Hace dos semanas que tengo fiebre. 私は 2 週間熱がある。

練習 13
Ejercicios

（解答：156 ページ）

1 （　）内のものを主語とし、次の規則活用動詞を直説法点過去に活用させましょう。

1) hablar（yo）　hablé
2) cantar（tú）　cantaste
3) esperar（usted）　esperó
4) quitar（José y yo）　quitamos
5) mirar（vosotros）　mirasteis
6) estudiar（ellos）　estudiaron
7) comer（yo）　comí
8) entender（tú）　entendiste
9) llover（3人称単数）　llovió
10) comprender（nosotros）　comprendimos
11) volver（tú y ella）　volvisteis
12) conocer（ustedes）　conocieron
13) vivir（yo）　viví
14) escribir（tú）　escribiste
15) cubrir（Pedro）　cubrió
16) salir（nosotras）　salimos
17) abrir（vosotros）　abristeis
18) imprimir（estos chicos）　imprimieron
19) ver（usted）　vio
20) jugar（yo）　jugué
21) contar（él）　contó
22) parar（nosotros）　paramos
23) deber（tú）　debiste
24) leer（usted）　leyó
25) oír（ellas）　oyeron
26) levantarse（ella）　se levantó
27) lavarse（vosotros）　os lavasteis
28) temerse（yo）　me temí
29) explicar（yo）　expliqué
30) despertarse（yo）　me desperté

2 （　）内のものを主語とし、次の不規則活用動詞を直説法点過去に活用させましょう。

1) estar（yo）　estuve
2) tener（tú）　tuviste
3) poder（él）　pudo
4) saber（nosotros）　supimos
5) poner（vosotras）　pusisteis
6) venir（ustedes）　vinieron
7) querer（yo）　quise
8) hacer（tú）　hiciste
9) haber（3人称単数）　hubo
10) componer（José y Pedro）　compusieron
11) decir（yo）　dije
12) producir（tú）　produjiste
13) traer（este señor）　trajo
14) traducir（tú y yo）　tradujimos
15) conducir（tú y él）　condujisteis
16) distraer（mis amigos）　distrajeron
17) sentir（ella）　sintió
18) pedir（ellos）　pidieron
19) seguir（él）　siguió
20) repetir（usted）　repitió
21) despedir（ustedes）　despidieron
22) conseguir（yo）　conseguí
23) morir（César）　murió
24) dormirse（ella）　durmió
25) vestirse（ellas）　se vistieron
26) ser（yo）　fui
27) ponerse（nosotros）　nos pusimos
28) dar（tú）　diste
29) andar（usted）　anduvo
30) irse（ellos）　se fueron

3 次の動詞の活用形を見て、例にならって動詞原形と主語を答えましょう。

例) hablé (*hablar*) [*yo*]

1) conté (contar) [yo]   2) mandaste (mandar) [tú]
3) envió (enviar) [él]   4) quitamos (quitar) [nosotros]
5) comisteis (comer) [vosotros]   6) vendieron (vender) [ellos]
7) vi (ver) [yo]   8) aprendiste (aprender) [vosotros]
9) salió (salir) [él]   10) abrimos (abrir) [nosotros]
11) vivisteis (vivir) [vosotros]   12) adquirieron (adquirir) [ellos]
13) entregué (entregar) [yo]   14) leyeron (leer) [ellos]
15) creyó (creer) [él]   16) te pusiste (ponerse) [tú]
17) se murió (morirse) [él]   18) me fui (irse) [yo]
19) nos dimos (darse) [nosotros]   20) se hicieron (hacerse) [ellos]
21) os quisisteis (quererse) [vosotros]   22) mantuvo (mantener) [él]
23) consiguieron (conseguir) [ellos]   24) traduje (traducir) [yo]
25) produjo (producir) [él]   26) devolvieron (devolver) [ellos]
27) dije (decir) [yo]   28) consintió (consentir) [él]
29) nevó (nevar) [3]   30) hubo (haber) [3]

4 日本語訳を参照しながら、次の文の ( ) 内の動詞を、直説法点過去に活用させましょう。

1) Ellos (salir:) del hotel por la tarde.　彼らは午後にホテルを出た。
2) Nosotros (conocerse:) hace cuatro años.
   私たちは4年前に知り合った。
3) ¿A qué hora (acostarse:) anoche?　昨晩は何時に寝たの？
4) Hace cinco años (dejar, yo:) de fumar.
   5年前にタバコを吸うのをやめた。
5) ¿(Hablar, tú:) con Francisco? —No, no (hablar:) con él.
   「フランシスコと話した？」「いや、話してない」
6) ¿(Escribir:) el correo? —Sí, ya lo (escribir:).
   「もうメール送った？」「うん、もう送ったよ」
7) ¿(Verse, ellos:) ayer? —No, no (verse:).
   「彼らは昨日会ったわけ？」「いや、会ってないよ」
8) Yo (querer:) decir la verdad pero no (poder:).
   私は真実を話したかったが、できなかった。

80

9) ¿(Ir, vosotros:　　　　　) de compras? —Sí, (ir:　　　　　) al centro comercial.
　　「君たち買い物に行ったの？」「うん、ショッピングモールに行ったよ」

10) ¿(Ponerse, usted:　　　　　) nerviosa? —No, no (estar:　　　　　) nerviosa.
　　「緊張なさった？」「いえ、緊張はしなかったです」

5 次の言葉を並べ換えて、日本語に合うようなスペイン語の文にしましょう。単語は必要に応じて形を変えましょう。

1) ホセはこの夏中国に旅行した。
　 (a, China, este, José, verano, viajar)　　viajó

2) 私は夫と5年前に知り合った。
　 (a, años, cinco, conocer, hace, marido, mi)

3) 彼女たちは昨晩とても疲れた。
　 (anoche, ellas, cansado, estar, muy)

4) 昨日カルロスは7時前に到着できなかった。
　 (antes, ayer, Carlos, de, las, llegar, no, poder, siete)

5) コンサートにはたくさんの人がいた。
　 (concierto, el, en, gente, haber, mucho)

6 次のスペイン語を日本語にしましょう。

1) Hablé con el jefe toda la mañana.

2) ¿Comisteis muy bien en ese restaurante?

3) ¿Qué dijiste?

4) Durmieron hasta las doce.

5) Ayer hizo mucho frío.

6) ¿Ya conseguisteis salir de la oficina?

7) Vine a decirte la verdad.

8) No nos pudimos lavar las manos.

9) Este libro lo traduje yo.

10) Se murió hace poco tiempo.

7 次の日本語をスペイン語にしましょう。

1) 私は6時に起床した。

2) 彼は夜の12時に帰宅した。

3) 昨晩は誰と一緒に出かけたの？

4) 私たちは8年前に知り合った。

5) 昨日の会議には10人以上いた。

14　直説法線過去（未完了過去）

　点過去がすでに完了している過去の事象に言及するのに対し、線過去（未完了過去）は、過去のある一時点で完了していない事象に言及します。特に点過去との使い分けは、本章例文及び第 17 章を参照してください。

規則活用：原形語尾 2 文字を置換えます。

hablar

	単数	複数
1	hablaba	hablábamos
2	hablabas	hablabais
3	hablaba	hablaban

comer

	単数	複数
1	comía	comíamos
2	comías	comíais
3	comía	comían

vivir

	単数	複数
1	vivía	vivíamos
2	vivías	vivíais
3	vivía	vivían

er 動詞と ir 動詞の規則活用語尾は共通です。

不規則活用：以下の 3 つのみ。それ以外は全て規則活用です。

ser

	単数	複数
1	era	éramos
2	eras	erais
3	era	eran

ir

	単数	複数
1	iba	íbamos
2	ibas	ibais
3	iba	iban

ver

	単数	複数
1	veía	veíamos
2	veías	veíais
3	veía	veían

• 用法
①過去形で示される別の動詞と同時進行している事象。「〜していた」
　　Cuando (yo) salí de casa, **llovía** mucho.
　　　私が家を出た（完了）とき、たくさん雨が降っていた（「家を出る」と同時進行）。
②過去のある一時点で未完了の行為。「〜しようとしていた」
　　Cuando (yo) **salía** de casa, sonó el teléfono.
　　　私が家を出ようとしていた（未完了）とき、電話が鳴った（完了）。
③過去の一時点を示す表現と併用。「（その時に）〜していた」
　　En aquel entonces **era** estudiante de Informática.
　　　あの頃、情報科学の学生だった。
④過去における習慣。「〜したものだ」
　　Yo **iba** a Kioto todos los años.　　私は毎年京都に行ったものだ。
⑤丁寧表現。¿Qué **quería**?　　何をお望みですか？

練習 14
Ejercicios

(解答：158ページ)

1 （　）内のものを主語とし、次の動詞を直説法線過去に活用させましょう。

1) estar (yo) _estaba_
2) escuchar (tú) _escuchabas_
3) contar (usted) _contaba_
4) sacar (nosotros) _sacábamos_
5) llegar (vosotras) _llegabais_
6) cortar (Patricia y Ángel) _cortaban_
7) beber (yo) _bebía_
8) poder (tú) _podías_
9) poner (ella) _ponía_
10) saber (todos nosotros) _sabíamos_
11) creer (vosotros) _creíais_
12) leer (ellas) _leían_
13) pedir (yo) _pedía_
14) decir (tú) _decías_
15) oír (el señor) _oía_
16) salir (nosotros) _salíamos_
17) seguir (tú y ese chico) _seguíais_
18) repetir (él y ella) _repetían_
19) ir (vosotros) _ibais_
20) ver (vosotros) _veíais_
21) ser (tú) _eras_
22) verse (nosotros) _nos veíamos_
23) irse (yo) _me iba_
24) ser (los chicos) _eran_
25) llevarse (ellos) _se llevaban_
26) quererse (nosotros) _nos queríamos_
27) mandar (tú y él) _mandabais_
28) conducir (tú y nosotros) _conducíamos_
29) suponer (yo) _suponía_
30) cantar (usted) _cantaba_

2 次の動詞の活用形を見て、動詞原形と主語を答えましょう。

1) enviaba (_enviar_) [_yo_]
2) sabías (_saber_) [_tú_]
3) pedían (_pedir_) [_ellos_]
4) íbamos (_ir_) [_nosotros_]
5) eran (_ser_) [_ellos_]
6) veíais (_ver_) [_vosotros_]
7) os queríais (_quererse_) [_vosotros_]
8) se dormían (_dormirse_) [_ellos_]
9) nos veíamos (_verse_) [_nosotros_]
10) se daba (_darse_) [_él_]

3 日本語訳を参照しながら、（　）内の動詞を直説法線過去に活用させましょう。

1) Antes (salir: _salíamos_) juntos a menudo.
   私たちは以前しばしば一緒に出かけたものだ。
2) Todos los años (ir: _ibas_) a Nagano.　君は毎年長野に行っていた。
3) Yo (estar: _estaba_) nervioso cuando empezó la entrevista.
   私は面接が始まった時、緊張していた。
4) Cuando volví a casa, mi padre (dormir: _dormía_) como un tronco.
   私が帰宅した時、父は泥のように眠っていた。
5) Cuando (ser: _éramos_) estudiantes, fuimos a Madrid de viaje.
   私たちが学生だった時、マドリーに旅行に行った。

6) Te (ir, yo: iba) a decir algo. 君に何か言おうとしていたんだ。
7) (Ser: Eran) las cuatro y media de la madrugada.
   明け方4時半だった。
8) ¿Qué (decir, tú: decías)? 何を言おうとしてたの？
9) ¿Qué (desear, usted: deseaba)? ご注文は？（何をお望みでしょう？）
10) Yo (querer: quería) un plato combinado número 2.
    コンビプレートの2番をいただけますか。

4 日本語訳を参照しながら、（　）内の動詞は直説法線過去、[　]内の動詞は直説法点過去に活用させましょう。

1) Tu papá y yo [conocerse: nos conocimos] cuando él (trabajar: trabajaba) en esta cafetería.
   君のお父さんと私は、彼がこのカフェで働いていた時に知り合ったのよ。
2) La habitación (estar: estaba) vacía cuando yo [llegar: llegué].
   私が到着した時には、部屋は空になっていた。
3) Manuel me [decir: dijo] que (buscar: buscaba) trabajo.
   マヌエルは私に、仕事を探しているといった。
4) Cuando (ser: eras) pequeño, (hablar: hablabas) muy poco.
   君が小さかった頃には、ほとんど話したりしなかったな。
5) No nos [dejar: dejaron] entrar en la discoteca porque no (llevar: llevábamos) chaquetas.
   私たちはジャケットを着ていなかったので、彼らはディスコに入れてくれなかった。
6) Nosotros (creer: creíamos) que Juan ya (estar: estaba) casado.
   私たちはフアンはもう結婚していると思っていた。
7) Esta persona nos [enseñar: enseñó] que (caminar: caminábamos) al revés.
   この人物が、私たちが逆に向かって歩いていることを教えてくれたのだ。
8) Siempre me (decir: decían) los padres que (tener, yo: tenía) que volver a casa antes de las doce.
   両親はいつも私に12時までには帰りなさいと言っていた。
9) ¿Qué (hacer: hacía) cuando yo le [ver: vi] ayer?
   あなたに昨日お目にかかった時、あなたは何をなさっていたのですか？
10) ¿Qué (hacer, tú: hacías) cuando yo (estar: estaba) fuera de casa?
    私が家の外にいた時、君は何をしてたんだい。

5 次のスペイン語を日本語にしましょう。

1) En aquel momento no sabía yo la noticia.

2) Mi padre salía de casa cuando me levanté.

3) No pude ver la película en cine porque yo estaba fuera en el extranjero.

6 次の日本語をスペイン語にしましょう。

1) 私は以前この辺りで彼女をしばしば見かけたものだ。

2) アルベルトは大学生の時に日本に来た。

3) カルロスが帰宅した時、彼の妻は眠っていた。

15 過去分詞（完了分詞）と現在分詞（未完了分詞）

▶**過去分詞**（完了分詞）
- 規則形：ar 動詞は原形語尾 ar を ado に、er / ir 動詞は原形の er / ir を ido に
  habl**ar**（原形）→ habl**ado**（過去分詞）　com**er** → com**ido**　viv**ir** → viv**ido**
  er / ir 動詞で原形語尾 2 文字の直前が母音の場合、ido ではなく ído に
  leer → leído　caer → caído
- 不規則形：
  decir → dicho　hacer → hecho ／ abrir → abierto　cubrir → cubierto
  morir → muerto　poner → puesto　resolver → resuelto　volver → vuelto
  escribir → escrito　freír → frito (freído) ／ ver → visto ／ romper → roto
- 主な用法
① 形容詞化（性数一致）
  ropa **usada** 古着　Estamos **enfadadas**.　私たち（女性）は怒っている。
② haber とともに現在完了や過去完了 [☞ 第 16 章] など
③ ser / estar とともに受動文 [☞ 第 18 章]

▶**現在分詞**（未完了分詞）
- 規則形：ar 動詞は原形語尾 ar を ando に、er / ir 動詞は原形の er / ir を iendo に
  habl**ar**（原形）→ habl**ando**（現在分詞）　com**er** → com**iendo**　viv**ir** → viv**iendo**
- 不規則形：
① 直説法現在で語幹母音変化 [☞ 第 6 章] をする ir 動詞は、語幹が e → i あるいは o → u
  s**e**ntir → s**i**ntiendo　d**o**rmir → d**u**rmiendo　p**e**dir → p**i**diendo
② er / ir 動詞でかつ原形語尾 2 文字の直前が母音の場合、iendo ではなく yendo
  le**er** → le**yendo**　ca**er** → ca**yendo**
③ その他
  ir → yendo　decir → diciendo　venir → viniendo
  poder → pudiendo　reír → riendo　freír → friendo
- 主な用法
① estar / ir / venir / seguir などと結びついて進行文を作ります。
  Mi padre está **leyendo** el periódico.　私の父は新聞を読んでいるところです。
  Voy / Vengo **andando**.　歩きで行くよ／来るよ。
  Siguen **durmiendo** desde las 9 de la noche.　夜 9 時から眠り続けている。
② その他の動詞についた場合は、「～しながら」と訳せます。
  Estos chicos estudian **trabajando**.　この青年たちは、働きながら勉強している。

練習 15 Ejercicios

（解答：159 ページ）

1 次の動詞を、過去分詞に変えましょう。

1) sentar — sentado
2) comer — comido
3) sentir — sentido
4) echar — echado
5) correr — corrido
6) pedir — pedido
7) bailar — bailado
8) beber — bebido
9) dormir — dormido
10) abrir — abierto
11) poner — puesto
12) morir — muerto
13) escribir — escrito
14) hacer — hecho
15) cubrir — cubierto
16) volver — vuelto
17) resolver — resuelto
18) ver — visto
19) romper — roto
20) freír — frito

2 日本語訳を参照しながら、（ ）内の動詞の原形を、過去分詞に変えましょう。また必要であれば語尾を変えましょう。

1) la (comer: comida) española　スペイン料理
2) el hombre (sentar: sentado)　座った男性
3) las (beber: bebidas) frías　冷たい飲み物
4) los niños (dormir: dormidos)　寝た子
5) un (pedir: pedido)　注文
6) unas ventanas (abrir: abiertas)　いくつかの開いた窓
7) una mesa (cubrir: cubierta)　覆われた机
8) los productos (hacer: hechos) en Japón　日本製の製品
9) por lo (ver: visto)　一見したところ
10) por (suponer: supuesto)　もちろん

3 次の動詞を、現在分詞に変えましょう。

1) contar — contando
2) hablar — hablando
3) saber — sabiendo
4) querer — queriendo
5) salir — saliendo
6) vivir — viviendo
7) mirar — mirando
8) ser — siendo
9) abrir — abriendo
10) leer — leyendo
11) creer — creyendo
12) oír — oyendo
13) dormir — durmiendo
14) morir — muriendo
15) poder — pudiendo
16) reír — riendo

17) pedir — pediendo
18) sentir — sintiendo
19) seguir — siguiendo
20) repetir — repitiendo

4 次の動詞の過去分詞・現在分詞を原形にしましょう。

1) tomado — tomar
2) bebido — beber
3) pedido — pedir
4) abierto — abrir
5) cubierto — cubrir
6) frito — freír
7) oído — oír
8) resuelto — resolver
9) sido — ser
10) visto — ver
11) dicho — decir
12) caído — caer
13) bajado — bajar
14) hablado — hablar
15) roto — romper
16) muerto — morir
17) comprando — comprar
18) teniendo — tener
19) saliendo — salir
20) leyendo — leer
21) durmiendo — dormir
22) yendo — ir
23) sintiendo — sentir
24) viniendo — venir
25) diciendo — decir
26) hecho — hacer
27) vivido — vivir
28) leído — leer
29) ido — ir
30) descubierto — descubrir

5 例にならって、日本語訳を参照しながら、下線部の動詞を動詞＋現在分詞の形にして書き換えましょう。

例) Hablo con mi mamá. (+ estar)　私はママと話している。
→ Estoy hablando con mi mamá.

1) José come en la cafetería. (+ estar)　ホセは食堂で昼食をとっている。

2) Los niños duermen en el sofá. (+ estar)　子供たちはソファで眠っている。

3) Alguien me sigue. (+ estar)　誰かが私を尾行している。

4) Ellos salen de la casa. (+ ir)　彼らは家から出ようとしている。

5) ¿Estudias español? (+ seguir)　スペイン語勉強し続けてる？

6 日本語訳を参照しながら、次のスペイン語の間違いを直しましょう。

1) Aquellas niñas dormido son gemelas.　あれらの眠った女の子は双子だ。
2) Te estoy pediendo un favor.　君にお願いをしているんだよ。
3) ¿Está ponido la comida?　料理は置いてある？
4) Todavía sigue hablado por teléfono con su novia.
　 まだ彼女と電話で話し続けてるよ。
5) ¿Por qué saliste a corriendo?　君はどうして走りながら出ていったの？

7 次のスペイン語を日本語にしましょう。

1) Esta señora sentada se llama Doña Daniela Fernández.

2) ¿Qué estás mirando?

3) ¿Puedo hacer un pedido sin tarjeta de crédito en esta página web?

4) Voy acabando los deberes.

5) Sigo queriendo a mi mujer.

8 次の日本語をスペイン語にしましょう。

1) 私は日本料理が好きです。

2) 母は新聞を読んでいます。

3) 一見したところ、壊れている窓はない。

4) 私は君に話しかけてるんだよ。

5) あの青年たちは勉強しながら働いているんだ。

16 直説法現在完了（複合完了過去）／直説法過去完了（大過去）

▶ **直説法現在完了**（複合完了過去）
- 作り方：haber の直説法現在＋過去分詞

	単　数	複　数
1人称	he hablado	hemos hablado
2人称	has hablado	habéis hablado
3人称	ha hablado	han hablado

- 用法：現在完了は、①過去に起きて、②完了したことを述べる時に用います。他の過去形との区別は、次の第17章を見てください。

　　He hablado con el profesor.　　私は、先生とお話をした。

　回数などの表現と共に使われる場合は、「〜したことがある」となります。

　　Este hombre ***ha estado*** en España varias veces.
　　　この男性は何度もスペインに滞在したことがある。

　スペインでは、直説法現在完了は以下の表現と共に現れます。どれも、現在が含まれる（「今日の〜」など）副詞（句）です。

hoy ／ esta mañana ／ esta tarde ／ esta noche ／ esta semana ／ este mes 等

　　Hoy ***he comido*** con mi familia en casa.　　今日は家で家族と昼食を食べた。

▶ **直説法過去完了**（大過去）
- 作り方：haber の直説法線過去（未完了過去）＋過去分詞

	単　数	複　数
1人称	había hablado	habíamos hablado
2人称	habías hablado	habíais hablado
3人称	había hablado	habían hablado

- 用法：過去のある一時点よりさらに過去のことを述べる場合に用います。

　　Cuando llegué, Joaquín ya ***había salido***.
　　　私が着いた時、もうホアキンは出ていった後だった。

練習 16
Ejercicios

（解答：160 ページ）

1 （ ）内のものを主語とし、次の動詞を直説法現在完了に活用させましょう。

1) estar（yo） — he estado
2) sacar（tú） — has sacado
3) mirar（el chico） — ha mirado
4) pagar（nosotras） — hemos pagado
5) tener（vosotros） — habéis tenido
6) aprender（ellos） — han aprendido
7) poder（yo） — he podido
8) morir（tú） — has muerto
9) venir（la persona） — ha venido
10) salir（nosotros） — hemos salido
11) dormir（tú y tu niño） — habéis dormido
12) pedir（ustedes） — han pedido
13) resolver（yo） — he resuelto
14) decir（tú） — has dicho
15) abrir（él） — ha abierto
16) cubrir（Andrés y yo） — hemos cubierto
17) poner（tú y ellos） — habéis puesto
18) romper（José y María） — han roto
19) levantarse（ustedes） — se han levantado
20) lavarse（yo） — me he lavado
21) comerse（tú） — te has comido
22) irse（nosotros） — nos hemos ido
23) olvidarse（vosotros） — os habéis olvidado
24) acostarse（él） — se ha acostado
25) morirse（yo） — me he muerto
26) devolver（el estudiante） — ha devuelto
27) descubrir（las policías） — han descubierto
28) hacerse（Ricardo） — se ha hecho
29) odiarse（mi novia y yo） — nos hemos odiado
30) describir（la escritora） — ha descrito

2 （ ）内のものを主語とし、次の動詞を直説法過去完了に活用させましょう。

1) hablar（yo） — había hablado
2) beber（tú） — habías bebido

3) repetir（usted）
4) sacar（nosotros）
5) comprender（vosotros）
6) seguir（ellos）
7) freír（ella）
8) caerse（yo）
9) volverse（Mariano）
10) abrir（usted）
11) hacer（Adolfo）
12) escribirse（Felipe y Alfonso）
13) irse（José）
14) decir（yo）
15) dejar（Leopoldo）
16) llamarse（tú）
17) morirse（Paco）
18) tener（tú y yo）
19) ser（vosotros）
20) salirse（nosotros）

3 日本語訳を参照しながら、（　）内の動詞を直説法現在完了に活用させましょう。

1) Luisa（hablar: ha hablado　　　　） con un señor en el metro.
   ルイサは地下鉄である男性と話をした。
2) ¿(Ir: Habéis ido　　　　) alguna vez a Latinoamérica?
   君たちラテンアメリカに行ったことはある？
3) ¿Qué（decir: ha dicho　　　　）usted?　何とおっしゃいました？
4) ¿Cómo（ser: ha sido　　　　）la entrevista de hoy?
   今日の面接はどうだった？
5) Esta semana ya（comer, nosotros: hemos comido　　　　）tres veces en ese restaurante.
   今週私たちはもう3回もそのレストランで食事した。
6) ¿Ya（leer: has leído　　　　）el libro?　君はもうその本読んだ？
7) Sergio y su hermano（escribir: han escrito　　　　）una carta a sus padres hoy.
   セルヒオと彼の弟は今日両親に手紙を書いた。
8) （Quitarse: Me he quitado　　　　）la corbata ya.　私はもうネクタイは外した。

9) El periódico de hoy dice que (morirse: se ha muerto) el artista.
   今日の新聞が、その芸術家が死去したことを伝えている。
10) La lluvia (volverse: se ha vuelto) fuerte. 雨が強くなった。

4 日本語訳を参照しながら、（　）内の動詞を直説法過去完了に活用させましょう。

1) Cuando entré en la sala ya (empezar: había empezado) la reunión.
   部屋に入った時には打ち合わせはすでに始まっていた。
2) Marisa ya (comer: había comido) el pastel cuando a su hermano le entró las ganas.
   マリサの弟がケーキを食べたいと思った時には、すでにマリサが食べてしまっていた。
3) Yo quería traducir ese libro de texto pero ya lo (hacer: habían hecho) ellos.　私がその教科書を翻訳したかったのだが、もうすでに彼らがやってしまっていた。
4) Ramón y Pedro se fueron a casa a las nueve aunque su jefe les (ordenar: había ordenado) quedarse.
   ラモンとペドロは、上司が残るよう指示したにも関わらず9時に帰宅してしまった。
5) Llegamos a las cinco de la mañana y (abrir, ellos: habían abierto) el mercado.　私たちが午前5時に到着すると、もう市場を開けていた。
6) Pilar tiró las cosas que le (regalar: habías regalado) tú.
   ピラールは君が贈ったものを捨てた。
7) Me llegó el CD que (pedir: había pedido).
   頼んでいたCDが私のもとに届いた。

5 例にならって、次のスペイン語の文の動詞を、直説法現在は現在完了に、現在完了あるいは点過去は過去完了にして、（　）内の表現を加え、日本語に合うように全文を書き換えましょう。

例) Hace muy mal tiempo. (esta semana)　今週は天気がとても悪かった。
   → Ha hecho muy mal tiempo esta semana.

1) Vamos a Bilbao. (este año)　今年ビルバオに行った。

2) ¿Qué haces? (hoy)　今日は何をしたの？

3) Recuerdo que cantabas esa canción. (muchas veces)
   君がその歌を歌っていたことを何回も思い出したことがある。

4) Me entero de que me lo has dejado. (esta mañana)
   今朝君がそれを私に残してくれたことに気づいたよ。

5) Me dicen mis padres que hice muy bien. (por fin hoy)
   ついに今日両親が私によくやったといってくれた。

6 次のスペイン語を日本語にしましょう。

1) Nunca he estado en México.

2) ¿Ya has hecho los deberes? (宿題)

3) Se ha ido a la escuela.

4) Me dijiste que habías hablado con ellas.

5) Ellos se habían ido cuando volví.

7 次の日本語をスペイン語にしましょう。

1) すでに夏休みは終わってしまった。

2) 何回か彼に会ったことがあります。

3) 今日私たちは朝6時に起きた。

4) 私たちが着いた時には、もう会議は始まってしまっていた。

5) 彼は君にそれをやってないと言ったんだね？

17　過去形の使い分け

　これまで、直説法の4つの過去形を見てきました。点過去（単純完了過去）[☞第13章]、線過去（未完了過去）[☞第14章]、現在完了（複合完了過去）[☞第16章]、過去完了（大過去）[☞第16章]です。
　まず、過去のことを述べたいときは、第一候補として点過去を考えます。この章では、他の過去形をいつ使えばいいのか、点過去を中心に改めて整理します。

点過去と線過去：次の場合は、線過去を使います。
- 点過去で示された行動と同時進行している（＝未完了）行動。
  Cuando llegó Carlos, **hacía** muy buen tiempo.
  　カルロスが着いたときは、とてもいい天気だった。
  　（「着いた」は完了、「いい天気」は「着いた」と同時で未完了）
- 過去の習慣。一回一回の行動は完了している（≒点）が、何度も繰り返される（≒線）。
  Yo **fui** a España el año pasado.　私は去年スペインに行った。（≒完了、点）
  Yo **iba** a España muy a menudo cuando era pequeño.
  　私が小さい時（≒未完了、線）、スペインによく行ったものだ。
  　（一回一回は点だが、集まって線と考える）
- 過去の時刻を示す。
  Eran las ocho de la tarde.　午後8時だった。

点過去と現在完了：現在完了は、過去に完了したことを現在と関連付けて述べるときに用います [☞第16章]。ただし、多くの場合、現在完了で示せる行動は点過去でも示せますし、逆も同じです。どちらにせよ、過去形であることには変わりなく、「〜した」と訳せます（現在完了の経験「〜したことがある」は除く）。

点過去と過去完了：点過去で述べた行動より前の行動は、過去完了を使います。
　Cuando llegó Carlos, el tren ya **había salido**.
　　カルロスが着いたときには、電車はもう出てしまった後だった（出てしまっていた）。
　なお、過去完了は、点過去以外の過去形ともいっしょに使えます。

練習 17
Ejercicios

(解答：161 ページ)

1 日本語訳を参照しながら、（ ）内の動詞を直説法現在完了か直説法点過去のどちらかに活用させましょう。どちらも入る可能性があるものもあります。

1) Hoy (estudiar, tú: has estudiado) mucho.
今日はたくさん勉強したね。

2) Estos estudiantes (estar: han estado) en España una vez.
この学生たちは一度スペインに行ったことがある。

3) Esa mañana (despertarse, yo: me desperté) temprano.
その朝、私は早く目覚めた。

4) Ya (hacer, nosotros: hemos hecho) casi todas las tareas.
もう私たちはほとんど全部の宿題をやった。

5) No (poder, yo: pude) dormir bien anoche.
私は昨晩よく眠れなかった。

6) Creo que nunca usted y yo (verse: nos hemos visto) antes.
あなたと私は以前お会いしたことはないと思います。

7) Durante el concierto (sonar: sonó) el teléfono móvil.
コンサート中携帯電話が鳴った。

8) ¿A qué hora (salir: saliste) tú de casa ese día?
その日君は何時に家を出た？

9) Cuando (saber, yo: supe) la noticia ya no podía hacer nada.
私がニュースを知ったときには、すでに何もできなかった。

10) María (enfadarse: se enfadó) porque su compañero de piso hacía ruido.
ルームメイトがうるさくしていたので、マリーアは怒った。

2 日本語訳を参照しながら、（ ）内の動詞を直説法点過去か直説法線過去のどちらかに活用させましょう。どちらも入る可能性があるものもあります。

1) En Tokio (ver: veía) a mis padres a menudo.
東京では私の両親に時々会っていたものだ。

2) (Empezar: Empezó) a sonar el teléfono cuando yo (salir: salía) de la oficina.
私が事務所を出ようとしていたときに、電話が鳴り始めた。

3) A mí me (decir: decía) algo el jefe pero no lo (escuchar: escuchaba).
上司が私に何か言っていたが、私は聞かなかった。

4) Luis (conocer: conoció) a Teresa cuando (ser: eran) estudiantes de la misma facultad.
ルイスがテレサを知ったのは、彼らが同じ学部の学生のときだった。

5) Cuando (entrar: entraron) las policías el hombre ya no (estar: estaba) ahí.
   警察が入ったときには、その男はそこにはいなかった。

6) Yo te (decir: dije) hace una hora que (tener: tenías) que ir a la cama.
   寝なきゃいけないよと1時間前に言ったよ。

7) (Jugar, vosotros: jugabais) en este parque cuando (ser: erais) niños.
   君たちは子供のときこの公園で遊んでいたんだ。

8) No (poder: pudo) aprobar en este examen porque (estar: estaba) resfriado.
   あなたは風邪を引いていたので、この試験に合格できなかった。

9) Yo no (hacer: hice) nada porque yo no (estar: estaba) en casa.
   私は家にいなかったので何もしなかった。

10) Yo no (hacer: hacía) nada cuando tú (volver: volviste) a casa.
    私は君が家に帰ってきたとき何もしていなかった。

3 日本語訳を参照しながら、( ) 内の動詞を直説法現在完了か直説法過去完了のどちらかに活用させましょう。

1) Cuando salí de casa ya (empezar: había empezado) a llover.
   私が家を出たとき、すでに雨が降り始めていた。

2) Este mes mi marido (empezar: ha empezado) a aprender a conducir.
   私の夫は今月運転を習い始めた。

3) Nunca (ir, yo: he ido) a China.
   私は中国に行ったことは一度もない。

4) Hoy yo no lo (ver: he visto) a Alberto.
   今日私はアルベルトを見かけていない。

5) Hasta hace unos meses mi novia y yo nunca (verse: nos habíamos visto).
   数か月前まで、私と私の彼女は一度も会ったことがなかった。

4 次のスペイン語を日本語にしましょう。

1) Cuando volví a casa, un hombre estaba ahí.
   私が家に帰ると、1人の男がそこにいた。

2) Cuando Federico era estudiante, volvía a casa muy tarde.
   フェデリコが学生だったとき、家にとても遅く帰った。

3) Cuando tenía veinticinco años, fui a España.
   25歳のとき、私はスペインに行った。

4) Cuando salieron de la oficina, empezó a nevar.
   彼らが事務所を出たとき、雪が降りはじめた

5) Cuando llegaron al bar, ya estaba cerrado.
   彼らがバルに着いたとき、にはとじられていた

6) Cuando llegaron al restaurante de Daniela, ya lo había cerrado.
   彼らがダニエラのレストランに着いたとき、ダニエラがもう店を閉めていた

7) He tenido que hablar con el profesor hoy porque había sacado una mala nota.
   悪い点を取ったので、先生と話さないといけなかった

8) Luis estaba cansadísimo porque había bebido mucho.
   ルイスはたくさん飲んでいたので疲れていた

9) Luis entraba en un bar porque el viento se había vuelto fuerte.
   ルイスは、風が強くなったので、バルに入った

10) La chica estaba nerviosa cuando llamó a su novio porque él había estado enfadado con ella.

---

5 次の日本語をスペイン語にしましょう。

1) ペドロが家を出ようとしていた時、雨が降り始めた。
   Cuando salía Pedro de casa, empezó a llover

2) 私が家を出た時、両親は怒っていた。
   Cuando salí de casa, mis padres estaban enfadados

3) 私たちが若かった頃は、たくさん旅行をしたものだ。
   Cuando éramos jóvenes, viajamos mucho.

4) 兄が部屋に入ってきたので、私は起床した。
   Me levanté porque mi hermano entró en mi habitación.

5) 彼女はこの辞書が欲しかったが、両親がすでに別のを買ってしまっていた。
   Ella quell quería este diccionario pero sus padres ya habían comprado otro.

18 受動文（ser [estar] ＋過去分詞）／ se ＋ 3 人称

主語が「〜する」**能動文**に対し、「〜される」文を**受動文**といいます。
次の 2 つの形があります。

▶ **ser / estar ＋過去分詞**

受動文であっても、ser / estar の使い分けの原則は変わりません [☞ 第 5 章]。過去分詞は主語の性数に一致します。〈ser ＋過去分詞〉の場合、動作主は前置詞 por（動詞によっては de）で示します。〈estar ＋過去分詞〉の場合、通常動作主は示しません。

　　Esas maquinas *fueron rotas* fácilmente por los niños.
　　　その機械は子供たちによって簡単に壊された。（動作・変化）
　　Esas maquinas *están rotas*.　その機械は壊れている。（結果・状態）
　　La Sagrada Familia *fue diseñada por* Antoni Gaudí.
　　　サグラダ・ファミリアは、アントニ・ガウディによって設計された。
　　*Estamos cansados de*l trabajo.　私たちは仕事で疲れている。
　　　（cansar：疲れさせる、estar cansado：仕事した結果疲れさせられた状態）
　　cf. El trabajo nos cansa.　仕事は、私たちを疲れさせる。
　　　　Nosotros nos cansamos del trabajo.　私たちは仕事で疲れている。

▶ **se ＋ 3 人称**

主語は無生物に限られ、通常動詞の後ろに置かれます。〈ser ＋過去分詞〉に対応し、ニュアンスの違いはありません。

　　Se rompieron las maquinas fácilmente por los niños.
　　　その機械は子供たちによって簡単に壊された。
　　Se diseñó La Sagrada Familia *por* Antoni Gaudí.
　　　サグラダ・ファミリアは、アントニ・ガウディによって設計された。
　　En esta empresa *se hablan* japonés, inglés, español y chino.
　　　この会社では日本語、英語、スペイン語、中国語が話される。
　　cf. En esta empresa se habla japonés, inglés, español y chino.
　　　上の例文と同じ訳ですが、こちらは se ＋ 3 人称単数の形で使う「無人称の se」といい、誰にでも当てはまる場合に使用するものです。
　　　　¿Por dónde se va a la estación?　駅にはどこを通って行くのですか？
　　誰が行っても同じルートになるので、"無人称の se ＋ 3 人称単数を用います。

練習 18 Ejercicios

（解答：163 ページ）

1 例にならって、（ ）内の動詞を ser ＋過去分詞の形にしましょう。

例） Las ventanas (cerrar: *fueron cerradas*) por mi padre.
　　　窓は私の父によって閉じられた。

1) Los domingos la puerta (cerrar: es cerrada) por Javier.
2) Los domingos las puertas (cerrar: son cerradas) por Javier.
3) Ese día la puerta (cerrar: fue cerrada) por Javier.
4) Ese día las puertas (cerrar: fueron cerradas) por mí.
5) Mañana la puerta (cerrar: va a ser cerrada) por mí.
6) Mañana las puertas (cerrar: van a ser cerradas) por Javier.
7) Esta noche la puerta (cerrar, 直説法現在完了を用いて: ha sido cerrada) por Isabel.
8) Esta noche las puertas (cerrar, 直説法現在完了を用いて: han sido cerradas) por Isabel.
9) Todos los días la puerta (cerrar: es cerrada) por Isabel y María.
10) Todos los días las puertas (cerrar: son cerradas) por Isabel y María.

2 例にならって、以下の能動文を、下線部を主語とした受動文に書き換えましょう。その上で、書き換えた文を訳しましょう。

例） Mi abuelo abrió la ventana.
　　→ La ventana fue abierta por mi abuelo.　窓は私の祖父によって開けられた。

1) Yo respeto a Alberto.
　　Alberto es respetado por mí.
2) Nosotros respetamos a Juana.
　　Juana es respetada por nosotros.
3) Mis padres abrieron la puerta.
　　La puerta fue abierta por mis padres.
4) Mis padres abrieron esa tienda.
　　Esa tienda fue abierta por mis padres.
5) Alejandro y tú vais a abrir una nueva tienda en este barrio.
　　Una nueva tienda va a ser abierta ~
6) Ayer eligieron el nuevo presidente.
　　El nuevo presidente fue elegido por ellos.

7) Ayer eligieron a María como la nueva presidenta.
   Ayer María elegida como la nueva presidenta
8) Ayer elegimos a María y a Juana como nuestras jefas.
   Ayer María y a Juana fueron elegidas como nuestras jefas.
9) Eligen directamente su nuevo presidente.
   Su nuevo presidente es elegido directamente.
10) Mañana van a elegir su nuevo presidente.
    Mañana su nuevo presidente va a ser elegido

3 例にならって、（ ）内の動詞を estar ＋過去分詞の形にしましょう。

例) Ahora mi madre (ocupar: *está ocupada*).　今母は手がふさがっている。

1) Ahora el presidente (ocupar: *está ocupado*).
2) Ahora la presidenta (ocupar: *está ocupado*).
3) Ahora José y Miguel (ocupar: *están ocupados*).
4) Ahora Ana y María (ocupar: *están ocupadas*).
5) En ese momento Patricia y María (ocupar: *estaban ocupadas*).
6) Ayer Patricia y Miguel (ocupar: *estuvieron ocupados*).
7) La próxima semana yo (ocupar, ir a ＋原形を用いて: *voy a estar ocupa*).
8) La próxima semana ellas (ocupar, ir a ＋原形を用いて: *van a estar ocupadas*).
9) Ahora este lugar (ocupar: *está ocupado*).
10) Ayer estas habitaciones (ocupar: *estuvieron ocupadas*).

4 例にならって、（ ）内の動詞を se ＋ 3 人称の形にしましょう。

例) (Hablar: *Se habla*) español.　スペイン語が話されている。

1) En Imperio Romano (hablar: *se habló*) latín.
   ローマ帝国ではラテン語が話されていた。
2) En esa época (hablar: *se habló*) latín y griego en esta región.
   その時代、この地域ではラテン語とギリシア語が話されていた。
3) En India (hablar: *se habla*) hindú.　インドではヒンドゥー語が話されている。
4) En Japón (hablar: *se habla*) japonés oficial y muchos otros dialectos.
   日本では標準語と他の多くの方言が話されている。
5) Así (ir a romper: *se va a romper*) la tele enseguida.
   そんな調子ではテレビはすぐに壊れるぞ。

6) En unos momentos (ir a abrir: Se van a abrir) las tiendas.
   もうじきに店が開きます。

5 次のスペイン語の文のうち、間違っているものを 3 つ選んで番号を答えましょう。
   1) Estamos aburridos de esta película.　私たちはこの映画に飽き飽きだ。
   2) Estoy cansado por ti.　私は君に疲れた。
   3) Se detuvo el ladrón por la policía.　その泥棒が警察に逮捕された。
   4) Los camareros atendieron a los clientes muy bien.
      ウェイターの接客がよかった。
   5) Estuvo construido este edificio hace más de mil años.
      この建物は 1000 年以上前に建てられた。
   6) Ha sido destruido el edificio hace poco.　少し前にその建物は取り壊された。

6 次のスペイン語を日本語にしましょう。
   1) Estamos muy preocupados.

   2) Se dice que hace poco se han separado Mariano y Soraya.

   3) ¿Se entiende este artículo? –Estas dos partes se van a entender muy bien.

   4) ¿Cómo se va a la estación?

7 次の日本語をスペイン語にしましょう。
   1) タバコを吸うことは禁止された。
      Fue prohibido fumar
   2) 私はホセはもう行ってしまったと言われた。
      Me dijeron que josé ya se había ido.
   3) 何か聞こえる？
      Se oye algo?
   4) 通ってもいいですか？
      ¿Se puede pasar?

19 直説法未来／直説法過去未来

▶ 直説法未来
- 活用：規則活用に加え、3パターンの不規則活用があります。活用語尾は、ar／er／ir動詞、規則活用か不規則活用かにかかわりなく、いずれも［-é, -ás, -á, -emos, -éis, -án］となります。-emosだけアクセント記号がありません。

規則活用：原形語末に活用語尾を添えるだけです。

vivir

	単数	複数
1人称	vivir**é**	vivir**emos**
2人称	vivir**ás**	vivir**éis**
3人称	vivir**á**	vivir**án**

以下に挙げる動詞以外のほとんどの動詞が、この規則活用をします。

不規則活用1：原形語末のr直前のeを取り除き、そこに活用語尾を添えます。

saber → (saberé) → sabré

	単数	複数
1人称	sabr**é**	sabr**emos**
2人称	sabr**ás**	sabr**éis**
3人称	sabr**á**	sabr**án**

このパターンの他の動詞：haber, caber, poder

不規則活用2：原形語末に活用語尾を添え、さらにr直前の母音をdに置き換えます。

tener → (teneré) → tendré

	単数	複数
1人称	tendr**é**	tendr**emos**
2人称	tendr**ás**	tendr**éis**
3人称	tendr**á**	tendr**án**

このパターンの他の動詞：poner, salir, valer, venir

不規則活用3：完全不規則形です。hacer と decir のみです。

hacer

	単　数	複　数
1人称	har**é**	har**emos**
2人称	har**ás**	har**éis**
3人称	har**á**	har**án**

decir

	単　数	複　数
1人称	dir**é**	dir**emos**
2人称	dir**ás**	dir**éis**
3人称	dir**á**	dir**án**

- 用法

　未来のことを述べます。勧誘や命令、また、現在のことについての推量にもなります。

　　Compraremos alimentos en el mercado. （勧誘もしくは未来）
　　　市場で食材を買おう。／私たちは市場で食材を買うでしょう。

　　Teresa **estará** en casa ahora. 　テレサは今家にいるだろう。（推量）

▶ 直説法過去未来

- 活用：規則活用、不規則活用ともに、直説法未来の活用語尾［-é, -ás, -á, -emos, -éis, -án］を、［-ía, -ías, -ía, -íamos, -íais, -ían］に変化させて完成です。

規則活用：hablar

	単　数	複　数
1人称	hablar**ía**	hablar**íamos**
2人称	hablar**ías**	hablar**íais**
3人称	hablar**ía**	hablar**ían**

不規則活用：saber

	単　数	複　数
1人称	sabr**ía**	sabr**íamos**
2人称	sabr**ías**	sabr**íais**
3人称	sabr**ía**	sabr**ían**

- 用法

①過去のある時点から見て未来に属する動作を述べる場合

　　María me dijo que **tendría** que dejar el trabajo.
　　　マリーアは、仕事をやめなくてはいけないと私に言った。

②過去の動作（本来直説法点過去・線過去で述べる）について現在からの推量を述べる場合

　　Serían las once menos cuarto cuando ocurrió el accidente.
　　　事故が起きた時、時刻は11時15分前だっただろう。

③本来直説法現在で述べることの婉曲表現

　　Me **gustaría** hacerle una pregunta a usted. 　貴方に質問させて頂きたく存じます。

④仮定文の帰結節［☞ 第24章］

練習 19
Ejercicios

(解答：164 ページ)

1 ( ) 内のものを主語とし、次の動詞を直説法未来に活用させましょう。

1) cantar (yo) _cantaré_
2) aprender (tú) _aprenderás_
3) repetir (él) _repetirá_
4) lavarse (nosotros) _nos lavaremos_
5) beberse (vosotras) _os beberéis_
6) irse (ustedes) _se irán_
7) poder (yo) _podré_
8) haber (tú) _habrás_
9) haber (3人称単数) _habrá_
10) poder (vosotros) _podréis_
11) saber (yo) _sabré_
12) tener (tú) _tendrás_
13) valer (usted) _valdrá_
14) poner (José y yo) _pondremos_
15) venir (tú y tu novia) _vendréis_
16) contener (yo) _contendré_
17) decir (tú y él) _diréis_
18) hacer (ellos) _harán_
19) salirse (el ladrón) _se saldrá_
20) saberse (ellas) _____

2 次の動詞の活用形を見て、動詞原形と主語を答えましょう。

1) hablaré (_hablar_) [_yo_]
2) comerás (_comer_) [_tú_]
3) vivirá (_vivir_) [_él_]
4) nos marcharemos (_marcharse_) [_nosotros_]
5) os querréis (_quererse_) [_vosotros_]
6) se morirán (_morirse_) [_ellos_]
7) venderemos (_vender_) [_nosotros_]
8) seréis (_ser_) [_vosotros_]
9) estarán (_estar_) [_ellos_]
10) pediré (_pedir_) [_yo_]
11) sabrán (_saber_) [_ellos_]
12) habréis (_haber_) [_vosotros_]
13) podrá (_poder_) [_él_]
14) vendrás (_venir_) [_tú_]
15) pondrás (_poner_) [_tú_]
16) valdremos (_valer_) [_nosotros_]
17) diré (_decir_) [_yo_]
18) hará (_hacer_) [_él_]
19) dormirás (_dormir_) [_tú_]
20) tendré (_tener_) [_yo_]

3 ( ) 内のものを主語とし、次の動詞を直説法過去未来に活用させましょう。

1) tocar (yo) _tocaría_
2) comer (tú) _comerías_
3) escribir (usted) _escribiría_
4) pagar (nosotros) _pagaríamos_
5) comprender (vosotros) _comprenderíais_
6) pedir (ellos) _pedirían_
7) saber (yo) _sabría_
8) poder (tú) _podrías_
9) caber (usted) _cabría_
10) salir (nosotros) _saldríamos_
11) venir (tú y María) _vendríais_
12) tener (ustedes) _tendrían_
13) hacer (yo) _haría_
14) decir (yo) _diría_
15) dormirse (los niños) _se dormirían_
16) lavarse (José) _se lavaría_

4 次の動詞の活用形を見て、動詞原形と主語を答えましょう。

1) sacarían　(sacar)　[ellos]　　2) volverías　(volver)　[tú]
3) pediríamos　(pedir)　[nosotros]　　4) tendríais　(tener)　[vosotros]
5) saldría　(salir)　[yo]　　6) cabrían　(caber)　[ellos]
7) pondrías　(poner)　[tú]　　8) diría　(decir)　[yo]
9) sabríamos　(saber)　[nosotros]　10) harían　(hacer)　[ellos]

5 日本語訳を参照しながら、( ) 内の動詞を直説法未来に活用させましょう。

1) (Terminar, yo: terminaré) las tareas antes de la cena.
   私は夕食前に宿題を終えるだろう。
2) Nosotros (poder: podremos) sacar adelante la situación.
   私たちは状況を打開することができるだろう。
3) (Haber, 3 人称単数 : Habrá) algo en la cocina.
   キッチンに何かあるだろう。
4) Estas joyas (valer: valdrán) más de mil millones de yenes en total.
   これらの宝石は総額 10 億円以上の価値があるだろう。
5) ¿Qué me (decir: dirán) los profesores en la oposición?
   試験で私は先生方に何を言われるのだろう？

6 日本語訳を参照しながら、( ) 内の動詞を直説法過去未来に活用させましょう。

1) Manuel me dijo que no (ir: iría) a la fiesta.
   マヌエルは私にパーティには行かないといった。
2) Francisco le dijo a su mujer que (ponerse: se pondría) la chaqueta.
   フランシスコは彼の妻にジャケットを着るといった。
3) (Ser: Sería) la una y media de la tarde cuando empezó el concierto.
   コンサートが始まったのは午後 1 時半だっただろう。
4) Anoche Luis (pagar: pagaría) por la cena.
   昨晩ルイスが夕食代を支払ったのだろう。
5) Nos (gustar: gustaría) visitar el Museo del Prado.
   プラド美術館を訪問させていただきたいのですが。

7 次のスペイン語を日本語にしましょう。

1) Empezaré a aprender japonés.

2) Terminaremos la clase.

3) Se levantará dentro de una hora.

4) Ya lo veremos.

5) Estarán muy ocupados.

6) Eso lo haré yo, no lo harás tú.

7) Luego me contarás cómo fue el concierto.

8) Mi madre siempre me decía que tendría yo un hijo muy pronto.

9) Nos gustaría hacerle a usted una pregunta.

10) ¿Podría pagar en efectivo?

[8] 次の日本語をスペイン語にしましょう。

1) そのフランス料理のレストランに行こう。（直説法未来を用いて）

2) 君も疲れているだろう。

3) そのニュースは本当なのか？

4) 君はもっと勉強しなくてはならなくなるだろう。

5) 一部屋予約（reservar）できますでしょうか。（予約するのは「私たち」、動詞poderを用いて）

20 直説法未来完了／直説法過去未来完了

▶ **直説法未来完了**
- 活用：haber の直説法未来＋過去分詞

	単　数	複　数
1人称	habré hablado	habremos hablado
2人称	habrás hablado	habréis hablado
3人称	habrá hablado	habrán hablado

- 用法

①未来において完了しているであろうことについて述べる場合

 Para el próximo año **habré ahorrado** 10.000 euros.

  1年後、私は1万ユーロを貯金し終えているだろう。

②過去の動作（本来直説法現在完了で述べられる）について現在からの推量を述べる場合

 Esta mañana Luis **habrá llegado** al aeropuerto.

  今朝ルイスは空港に到着しているはずだ。

  (*cf.* Esta mañana Luis ha llegado al aeropuerto.)

▶ **直説法過去未来完了**
- 活用：haber の直説法過去未来＋過去分詞

	単　数	複　数
1人称	habría hablado	habríamos hablado
2人称	habrías hablado	habríais hablado
3人称	habría hablado	habrían hablado

- 用法

①過去の過去の動作（本来直説法過去完了で述べられる）について現在からの推量を述べる場合

 Luis ya **habría salido** del aeropuerto cuando Teresa llegó ahí.

  テレサが到着した時、ルイスはすでに空港から出た後だっただろう。

②仮定文の帰結節［☞ 第24章］

練習 20
Ejercicios

(解答：166 ページ)

1 （ ）内のものを主語とし、次の動詞を直説法未来完了に活用させましょう。

1) ganar（yo）   habré ganado
2) saber（tú）   habrás sabido
3) salir（ella）   habrá salido
4) ahorrar（usted y yo）   habremos ahorrado
5) coger（vosotros）   habréis cogido
6) venir（ellos）   habrán venido
7) decir（usted）   habrá dicho
8) hacer（tú）   habrás hecho
9) volverse（nosotros）   nos habremos vuelto
10) morirse（ellos）   se habrán muerto

2 次の動詞の活用形を見て、動詞原形と主語を答えましょう。

1) habré enviado　（ enviar ）［ yo ］
2) habréis conocido　（ conocer ）［ vosotros ］
3) habrán pedido　（ pedir ）［ ellos ］
4) habremos parado　（ parar ）［ nosotros ］
5) habrás podido　（ poder ）［ tú ］
6) habrá seguido　（ seguir ）［ él ］
7) se habrán hecho　（ hacerse ）［ ellos ］
8) me habré vuelto　（ volverse ）［ yo ］
9) habréis cubierto　（ cubrir ）［ vosotros ］
10) habrás frito　（ freír ）［ tú ］

3 日本語を参照しながら、（ ）内の動詞を直説法未来完了に活用させましょう。

1) Hoy (ser: habrá sido) un día muy cargado.
   今日はやることの多い日となったことだろう。

2) Esta semana (escribir, ellos: habrán escrito) un montón de correos electrónicos a muchísima gente.
   今週はとても多くの人々に、山のようなメールを送ったことだろう。

3) No (hacer, yo: habré hecho) nada hasta el día.
   その日まで私は何もやっていないことだろう。

4) ¿Cómo (ir: habrá ido) la reunión de esta mañana?
   今朝の打ち合わせはどうだったのだろうか？

5) Mañana por la mañana (terminar, nosotros: habremos terminado) la traducción.
   明日午前中には翻訳が終わっていることだろう。

4 ( ) 内のものを主語とし、次の動詞を直説法過去未来完了に活用させましょう。
1) estar (yo)   habría estado
2) ser (tú)   habrías sido
3) venir (usted)   habría venido
4) romper (nosotros)   habríamos roto
5) poder (vosotras)   habríais podido
6) despedirse (ellos) se habrían despedido
7) leer (yo)   habría leído
8) verse (Pedro)   se habría visto
9) abrir (vosotros)   habríais abierto
10) ponerse (ustedes) se habrían puesto

5 次の動詞の活用形を見て、動詞原形と主語を答えましょう。
1) habrían comprado   (comprar) [ellos]
2) habrías temido   (temer)   [tú]
3) habríais dormido   (vosotros) [dormir]
4) habría tocado   (yo)   [tocar]
5) habríamos sabido   (nosotros) [saber]
6) habríais seguido   (vosotros) [seguir]
7) habrían dicho   (ellos)   [decir]
8) habrías escrito   (tú)   [escribir]
9) habríais visto   ( )   [ver]
10) habríamos leído   (nosotros) [leer]

6 日本語を参照しながら、( ) 内の動詞を直説法過去未来完了に活用させましょう。
1) Cuando llegaron ustedes al bar de Pepe ya lo (cerrar:).
   ペペのバーにあなた方がお着きになった時には、もうペペは店じまいしていたのではないでしょうか。
2) Cuando sus padres llegaron a casa Alonso ya (salir:).
   両親が家についた時には、アロンソはもう出かけてしまっていたことだろう。

3) Cuando te diste cuenta alguien se lo (contar:　　　　　) a tus padres.
   君が気づいた時には、誰かがもう君の両親にそれを話してしまっていたんだろうね。
4) Dije a mi jefe que Pedro (hacer:　　　　　　　　　) las tareas.
   私は上司に、ペドロがそれらの仕事は終わらせているだろうと言った。
5) Alfonso quería esconder el hecho pero ya lo (descubrir:　　　　　　　) los periodistas.
   アルフォンソは事実を隠したがっていたが、すでにジャーナリストたちが発見してしまっているだろう。

7 次のスペイン語を日本語にしましょう。

1) Habremos acabado con este trabajo dentro de muy poco tiempo.

2) ¿Quién habrá sido aquel hombre?

3) Hoy mis hijos habrán hecho muchísimas tareas.

4) No se habrá hecho nada hasta esta tarde.

5) Mi padre ya se habría ido a jugar al golf cuando mi madre se levantó.

6) José habría enseñado la foto a Concha aunque Pablo no lo quería.

7) Ya Patricia habría encontrado el regalo y lo habría abierto cuando su padre lo quiso sacar del armario.

8 （　）内の指示に従って、次の日本語をスペイン語にしましょう。

1) 私はその映画、明日には見終えてしまっているよ。（未来完了を用いて）

2) あの女性は一体何をしたのだろう？（未来完了を用いて）

3) ニュースが出た（salir）時、彼らはそれをもう知っていたことだろう。

21 関係詞

関係詞を用いて、2つの文を1つにすることができます。まず、スペイン語で使うことの大変多い関係代名詞 que を使って2文をつなげてみましょう。
(1) La <u>revista</u> es de Luis.　その雑誌はルイスのものです。
(2) Esa <u>revista</u> está en la mesa.　その雑誌が机の上にあります。

手順：2つの文で同じ単語を見つけ、片方を関係詞に変えます。その際、冠詞や指示形容詞はさしあたり取り除きます。
　ここでは、(2) の revista を関係代名詞 que に変えます。その上で、(2) を (1) の文中の revista の後ろに直結させます。
(1) La <u>revista</u> es de Luis.　　(2') ***que*** está en la mesa
→ La revista ***que*** está en la mesa es de Luis.
　机の上にある雑誌はルイスのものです。

次に、文中で目的語となり、かつ目的格人称代名詞となる場合を見ましょう。
(1) La <u>revista</u> es de Luis.
(3) Voy a leer la <u>revista</u>.　私はその雑誌を読むつもりです。
(3') ***que*** voy a leer
→ La revista ***que*** voy a leer es de Luis.　私が読むつもりの雑誌はルイスのものです。

さらに、que についで使われることの多い関係副詞 donde を見てみます。
(4) Hay una <u>empresa</u> cerca del mar.　海の近くに1つの企業がある。
(5) Mi madre trabaja <u>en la empresa</u>.　私の母はその企業で働いている。
empresa が同じ単語ですが、empresa だけではなく、それを含めた副詞句 en la empresa を、まるごと関係副詞の donde に置き換えることができます。
　なお、名詞 empresa を関係代名詞の que に置き換える際、前置詞 en は que とともに前に持ってきます。
→ Hay una empresa ***donde / en que / en la que*** trabaja mi madre cerca del mar.
　海の近くに私の母が働く企業がある。

関係詞 que には定冠詞をつけることができます。この関係詞 el que は、独立用法として用いられ、「～する人／もの」の意味になります。
Los que trabajan aquí son buenos chicos.　ここで働いているのはいいやつらさ。

113

練習 21
Ejercicios

(解答：166ページ)

1 例にならって、2つの文を、（　）内の関係詞を使って1つの文にし、日本語に訳しましょう。その際、左側の文が先頭になるようにしましょう。

例) El libro es de Luis. / El libro está en la mesa. （que）
　→ El libro que está en la mesa es de Luis.
　　机の上にある雑誌は、ルイスのものです。

1) Las revistas son muy baratas. / Las revistas están aquí. （que）

　　Las revistas que revistas están aquí son muy baratas

2) La revista es muy cara. / La compré ayer. （que）

3) La revista es muy famosa. / En la revista sale mi amigo. （que）

4) Esa novela es de Jorge Luis Borges. / Se vende mucho en esta librería. （que）

5) La novela es de Jorge Luis Borges. / La encontró en la librería. （que）

6) Este edificio es muy moderno. / En este edificio trabajo yo. （donde）

7) Las dos chicas son las más jóvenes de esta oficina. / Ellas están ahí. （que）

8) Mi empresa está en este edificio. / En este edificio también hay supermercado, cafeterías, bares, etc. （donde）

9) Ese chico guapo se llama Jesús. / Quiero hablar con él. （el que）

10) El hombre era José. / Un hombre estaba durmiendo en tu sofá. （que）

11) Era mía la maleta. / Mi padre la vendió. （que）

12) Este pequeño país en el mapa es Japón. / Taro viene de Japón. （donde）

13) José cocina en casa. / Es José. （el que）

14) Ellas rompieron las ventanas. / Eran María y Ana. (el que)

15) Ayer Miguel habló con Mónica. / Mi amigo había querido a Mónica. (el que)

2 次のスペイン語を日本語にしましょう。

1) Los periódicos que leo todos los días son baratos.

2) Trabajo en este edificio que tiene más de cuarenta plantas.

3) El hombre que está ahí se llama Tomás Roncero.

4) Me gustan estos zapatos que compré en España.

5) Mi despacho está en ese edificio del que sale mucha gente.

6) Lo que hizo Francisco es muy malo.

7) Las chicas que se marcharon son muy guapas.

8) Los que han sacado malas notas no están contentos.

9) Yo me casé con María, a la que había conocido hace diez años.

10) Hoy he vendido la casa que había comprado hace quince años.

3 次の日本語をスペイン語にしましょう。

1) そこにあるレストランはいいですよ。

2) ピラールと話しているあの男性は名前をルイスといいます。

3) 私が働いている建物は公園に近い。

4) 今日ホセが食べてしまったケーキは君のだった。

5) 出て行った（irse）私の夫が戻ってきた。

22 接続法現在／接続法過去／接続法現在完了／接続法過去完了

前章までの記述には、「直説法」とある場合が多いことに、お気づきでしょう。
　この「法」とは、ある文を作るときの、その作者の心の態度を表します。直説法や、本章以降で取り扱う**接続法**を用いるときの「心の態度」の違いとは、大まかに以下の3つの軸で理解できます。

直説法	接続法
事実を述べる	事実ではないことを述べる
客観的なことを述べる	主観的なことを述べる
確実なことを述べる	不確実なことを述べる

詳しい用法は第23章、第24章に譲り、この章では先に活用を覚えましょう。

▶接続法現在

規則活用：活用語尾により2パターンあります。
　ar 動詞の語尾は［-e, -es, -e, -emos, -éis, -en］で、まるで er/ir 動詞のようです。

hablar

	単　数	複　数
1人称	habl**e**	habl**emos**
2人称	habl**es**	habl**éis**
3人称	habl**e**	habl**en**

er/ir 動詞の語尾は［-a, -as, -a, -amos, -áis, -an］で、逆に ar 動詞のようです。

comer

com**a**	com**amos**
com**as**	com**áis**
com**a**	com**an**

vivir

viv**a**	viv**amos**
viv**as**	viv**áis**
viv**a**	viv**an**

　多くの動詞がこの規則活用にあたりますが、不規則活用もあります。活用語尾は、規則活用と不規則活用で共通です。

不規則活用1：直説法現在で語幹母音変化［☞第6章］する ar/er 動詞です。直説法現在と同様に、1人称複数と2人称複数を除き、e → ie、o → ue（u → ue）となります。

117

pensar (e → ie)	
piense	pensemos
pienses	penséis
piense	piensen

poder (o → ue)	
pueda	podamos
puedas	podáis
pueda	puedan

同じパターンの動詞：contar, entender, encontrar, recordar, perder, volver

不規則活用 2：直説法現在で語幹母音変化［☞第6章］する ir 動詞です。同じく、e → ie, o → ue（u → ue）の語幹母音変化のパターンに、e → i が加わります。また、直説法現在の語幹母音変化では 1 人称複数（nosotros）と 2 人称複数（vosotros）は変化しませんでしたが、接続法現在では e → i, o → u と変化します。

sentir (e → ie / i)	
sienta	sintamos
sientas	sintáis
sienta	sientan

dormir (o → ue / u)	
duerma	durmamos
duermas	durmáis
duerma	duerman

pedir (e → i)	
pida	pidamos
pidas	pidáis
pida	pidan

同じパターンの動詞：preferir, convertir, morir, servir, repetir, vestir, corregir

不規則活用 3：直説法現在で 1 人称単数が不規則な動詞では、その直説法現在 1 人称単数の活用形をもとに、接続法現在を作ります。

tener → tengo → tenga

tenga	tengamos
tengas	tengáis
tenga	tengan

conocer → conozco → conozca

conozca	conozcamos
conozcas	conozcáis
conozca	conozcan

同じパターンの動詞：hacer (haga), decir (diga), salir (salga), venir (venga), conducir (conduzca), parecer (parezca)

不規則活用 4：その他のものは以下の通りです。

- ser： sea, seas, sea, seamos, seáis, sean
- estar： esté, estés, esté, estemos, estéis, estén（直説法現在の a → e）
- ir： vaya, vayas, vaya, vayamos, vayáis, vayan
- haber： haya, hayas, haya, hayamos, hayáis, hayan
- ver： vea, veas, vea, veamos, veáis, vean
- saber： sepa, sepas, sepa, sepamos, sepáis, sepan
- dar： dé, des, dé, demos, deis, den（1 人称単数と 3 人称単数にアクセント記号）

また、発音の都合上綴りが変わるものがあります。

　　llegar → lle**gu**e（× llege）　　buscar → bus**qu**e（× busce）
　　coger → co**j**a（× coga）　　corregir → corri**j**a（× corriga）

▶**接続法過去**：直説法点過去、線過去に該当します。
活用：直説法点過去の3人称複数形の語尾2文字 -on を、[-a, -as, -a, -amos, -ais, -an] に変えます。全ての人称で活用語尾直前の音節の母音にアクセントを揃えるため、1人称複数にアクセント記号がつきます。例外なく全ての動詞がこのように活用します。

hablar → hablaron → hablara　　　　ser / ir → fueron → fuera

habl**a**ra	habl**á**ramos
habl**a**ras	habl**a**rais
habl**a**ra	habl**a**ran

fu**e**ra	fu**é**ramos
fu**e**ras	fu**e**rais
fu**e**ra	fu**e**ran

全ての活用形で、"bla" "fue" の音節にアクセントが揃っています。
　上の活用形全てで、-ra- を -se- に取り替えることができます。前者を ra 形、後者を se 形といいます。違いは大きくありませんが、丁寧表現では se 形は使用しません。

▶**接続法現在完了**：直説法現在完了、未来完了に該当します。
活用：〈haber の接続法現在＋過去分詞〉です。例外はありません。過去分詞の不規則形に気をつけましょう。

hablar

haya hablado	hayamos hablado
hayas hablado	hayáis hablado
haya hablado	hayan hablado

▶**接続法過去完了**：直説法過去完了に該当します。仮定文など［☞第24章］で使用します。
活用：〈haber の接続法過去（ra 形／se 形）＋過去分詞〉です。例外はありません。過去分詞の不規則形に気をつけましょう。

hablar

hubiera hablado	hubiéramos hablado
hubieras hablado	hubierais hablado
hubiera hablado	hubieran hablado

練習 22
Ejercicios

(解答：168ページ)

1 （　）内のものを主語とし、次の動詞を接続法現在に活用させましょう。

1) hablar (yo) _hable_
2) cantar (tú) _cantes_
3) comer (José) _coma_
4) beber (nosotros) _bebamos_
5) vivir (vosotros) _viváis_
6) escribir (ustedes) _escriban_
7) pensar (yo) _piense_
8) encontrar (tú) _encuentres_
9) perderse (usted) _se pierda_
10) dormir (nosotros) _durmamos_
11) sentir (vosotras) _sintáis_
12) pedir (ellos) _pidan_
13) poner (yo) _ponga_
14) tener (tú) _tengas_
15) hacer (esa persona) _haga_
16) decir (tú y yo) _digamos_
17) salir (tú y ella) _salgáis_
18) conocer (él y ella) _conozcan_
19) parecer (yo) _parezca_
20) venir (tú) _vengas_
21) estar (él) _esté_
22) ser (nosotros) _seamos_
23) ir (vosotros) _vayáis_
24) ver (ustedes) _vean_
25) saber (yo) _sepa_
26) dar (tú) _des_
27) haber (él) _haya_
28) llegar (yo) _llegue_
29) quererse (vosotros) _os queráis_
30) sentirse (ellos) _se sientan_
31) morirse (yo) _me muera_
32) darse (usted) _se dé_
33) sentarse (nosotros) _nos sentemos_
34) creer (la gente) _crea_
35) crear (el artista) _cree_
36) poder (ellos) _puedan_
37) preferir (yo) _prefiera_
38) repetir (vosotros) _repitáis_
39) llamarse (tú) _te llames_
40) buscar (nosotros) _busquemos_

2 次の動詞の活用形を見て、動詞原形と主語を答えましょう。

1) estudiemos (_estudiar_) [_nosotros_]
2) coman (_comer_) [_ellos_]
3) escribáis (_escribir_) [_vosotros_]
4) piense (_pensar_) [_yo_]
5) puedas (_poder_) [_tú_]
6) prefiramos (_preferir_) [_nosotros_]
7) salgan (_salir_) [_ellos_]
8) conduzcáis (_conducir_) [_vosotros_]
9) esté (_estar_) [_yo_]
10) sepas (_saber_) [_tú_]
11) se vayan (_irse_) [_ellos_]
12) haya (_haber_) [_yo_]
13) dejéis (_dejar_) [_vosotros_]
14) sintáis (_sentir_) [_vosotros_]
15) te parezcas (_parecerse_) [_tú_]
16) nos veamos (_verse_) [_nosotros_]
17) cojamos (_coger_) [_nosotros_]
18) busquen (_buscar_) [_ellos_]
19) se despida (_despedirse_) [_él_]
20) repitas (_repetir_) [_tú_]
21) hablemos (_hablar_) [_nosotros_]
22) describan (_describir_) [_ellos_]

23) paréis   (parar) [vosotros]   24) se vuelva   (volverse) [él]
25) tengan   (tener) [ellos]   26) lleguéis   (llegar) [vosotros]
27) se sienten   (sentarse) [ellos]   28) produzcas   (producir) [tú]
29) nos muramos   (morirse) [nosotros] 30) se vistan   (vestirse) [ellos]

3 （ ）内のものを主語とし、次の動詞を接続法過去に活用させましょう。

1) hablar (yo)   hablara   2) comer (tú)   comieras
3) vivir (ella)   viviera   4) cantar (nosotros)   cantáramos
5) beber (vosotros)   bebierais   6) salir (ustedes)   salieran
7) cubrir (mamá)   cubriera   8) volver (tú)   volvieras
9) llover (3人称単数)   lloviera   10) tocar (nosotros)   tocáramos
11) abrir (tú y María)   abrierais   12) oír (Ramón y Jorge)   oyeran
13) estar (yo)   estuviera   14) tener (tú)   tuvieras
15) haber (usted)   hubiera   16) poder (nosotros)   pudiéramos
17) poner (vosotros)   pusierais   18) hacer (ellas)   hicieran
19) venir (tú)   vinieras   20) traer (ellos)   trajeran
21) decir (yo)   dijera   22) producir (vosotros)   produjerais
23) pedir (él)   pidiera   24) despedir (ellos)   despidieran
25) vestirse (yo)   me vistiera   26) ir (nosotros)
27) dormir (los niños)   28) morirse (las víctimas)
29) dar (tú)   30) ser (yo)

4 次の動詞の活用形を見て、動詞原形と主語を答えましょう。

1) tomáramos   (   ) [   ]   2) cogiesen   (   ) [   ]
3) vivieses   (   ) [   ]   4) siguierais   (   ) [   ]
5) se durmiese   (   ) [   ]   6) me pusiese   (   ) [   ]
7) fueran   (   ) [   ]   8) trajéramos   (   ) [   ]
9) viniéramos   (   ) [   ] 10) dijerais   (   ) [   ]
11) estudiásemos (   ) [   ] 12) diese   (   ) [   ]
13) condujeras   (   ) [   ] 14) quisiera   (   ) [   ]
15) conociese   (   ) [   ] 16) os vierais   (   ) [   ]
17) se detuviese (   ) [   ] 18) introdujeses (   ) [   ]
19) leyese   (   ) [   ] 20) me sentara   (   ) [   ]

5 （　）内のものを主語とし、次の動詞を接続法現在完了に活用させましょう。

1) contar（yo）
2) bailar（tú）
3) beber（usted）
4) poder（nosotros）
5) vivir（vosotros）
6) dormir（ellos）
7) escribir（tú y él）
8) verse（nosotros）
9) decir（ustedes）
10) volverse（las cosas）

6 （　）内のものを主語とし、次の動詞を接続法過去完了に活用させましょう。

1) esperar（yo）
2) jugar（tú）
3) aprender（ella）
4) quererse（nosotros）
5) salir（tú y tu gato）
6) morir（ellos）
7) cubrir（tú）
8) leer（usted y yo）
9) abrir（Alberto）
10) hacer（ellas）

23 接続法の用法 1（名詞節／形容詞節／副詞節）

　接続法は、que などの接続詞によってまとめられた節においてよく用いられることから接続法と呼ばれます。節には必ず主語と動詞が含まれ、文中の役割から名詞節、形容詞節、副詞節に分かれます。

▶ **名詞節**：文中で名詞の役割を果します。さしあたり「この動詞が出てきたら、その名詞節では自動的に接続法」と考えるとよいでしょう。

- ある人の意志を別の人に及ぼすような動詞が目的語に節を取るとき、その節の中の動詞は、接続法となります。接続詞は que です。

このパターンの動詞：querer, desear, necesitar, esperar, ordenar, mandar, decir, pedir, aconsejar, prohibir

　　　Quiero que **sepáis** esta noticia.　　私は君たちに、このニュースを知ってほしい。
　　　Quisiera que ustedes **supiera** esta noticia.

　que 節が動詞 querer（この動詞のある部分を**主節**といいます）の目的語になり、「私」の意志が「君たち」に及んでいます。Quisiera... はていねいな形で、se 形は不可です。
　　　El rey mandó que **se callara** el presidente.　　王は大統領に黙るよう命じた。
「王」の意志が「大統領」に及びます。また、命じたのが過去なので、それに合わせ que 節内部の動詞も接続法過去になります。（**時制の一致**）

- 感情を表す主節の動詞の目的語となる que 節の内部の動詞は接続法です。

このパターンの動詞：alegrarse de, sentir, lamentar, temer, gustar, sorprender
　　　Teresa se alegra de que Luis **haya encontrado** un nuevo piso.
　　　　テレサは、ルイスが新しい部屋を見つけてきたことを喜んでいる。
　テレサの感情、つまり「主観」がルイスを主語とする「事実」を述べる que 節を覆っています。ルイスが部屋を見つけてきたことは現在完了で表現されています。

- 可能性を表す表現が主語に que 節を取るとき、その内部の動詞は接続法となります。

このパターンの表現：poder (ser), ser posible, ser probable
　　　Pudo (ser) que ellos no nos **hubieran dicho** la verdad.
　　　　彼らが私たちに真実を言わなかった可能性がありそうだった。
　que 節の内部で述べられていること（真実を言わなかった）は、可能性に過ぎず事実とは限らないので、接続法を用います。また、可能性があること自体は過去の事実として直説法点過去、que 節の中身はそれより過去の話なので、接続法過去完了になります。

123

- 考えを表現する主節動詞が否定文で用いられ、目的語に que 節を取るとき、que 節内部の動詞は接続法です。疑問を示す動詞が肯定文で用いられた場合も同じです。

このパターンの表現：no creer, no pensar, dudar, tener duda de

　　No creía que lo **pudieras** hacer.　私は、君にそれができるとは思わなかった。

「思わない」と言っている以上、que 節の内部は事実として認識されていません。

- 主語に que 節があり、その内容を評価する形容詞が主節の動詞 ser とともにあらわれるとき、que 節内部の動詞は接続法となります。

このパターンの形容詞：(ser) bueno, mejor, necesario, importante

　　Es mejor que **terminéis** los deberes antes de la comida.
　　　君たちは昼食の前に宿題を終わらせる方がいいだろう。

「君たちが昼食の前に宿題を終わらせること」は、まだ事実ではありません。評価をする主節が que 節を覆っています。

▶ **形容詞節**：文中で形容詞の役割を果します。一見似通った文でも、節の中で用いるのが直説法か接続法かによって意味が異なるので気をつけましょう。

　　Busco una casa que **esté** cerca del mar.　私は海近くにある家を探しています。

que 節の中が接続法の場合、どの家と決まったわけではなくなります。従って、この家は訪れる先としてではなく、住む家として探していることが想定されます。

　　Busco una casa que **está** cerca del mar.　私は海近くにある家を探しています。

que 節の中が直説法の場合、具体的なある家一軒が想定されます。従って、この家は訪れる先として探していることになります。

▶ **副詞節**：文中で副詞の役割を果します。「この表現は必ず接続法」というパターンと、同じ接続詞でも、直説法か接続法かで意味が異なるパターンの 2 つがあります。

- 必ず接続法になるパターン：para que, a fin de que, en caso de que, antes de que, sin que, con tal de que, a condición de que など

　　Yo estudio mucho para que mi familia **viva** mejor en el futuro.
　　　私は、私の家族が将来よりよい生活をするため、一生懸命勉強します。

- 直説法か接続法かで意味が異なるパターン：cuando, hasta que, aunque, como など

　　Cuando **vengas** aquí, me lo dirás.　君がここに来るときは、私にそう言ってくれ。

「君」がここに来るか、来るならいつ来るかは未定です。時を示す副詞節が未来のことを述べるときは、接続法を用います。

　　Cuando **vienes** aquí, siempre ocurre algo malo.
　　　君がここに来ると、いつも何か悪いことが起きる。

「君」がここに来る習慣が事実としてあります。

練習 23
Ejercicios

（解答：169ページ）

1 日本語訳を参照しながら、（ ）内の動詞を必要に応じて接続法に活用させましょう。

1) Quiero que (volver, tú: vuelvas) a casa.　私は君に家に帰ってほしいんだ。
2) Quería que (volver, tú: volvieras) a casa.　私は君に家に帰ってほしかった。
3) Deseamos que todos vosotros (estar: estéis) bien.
   私たちは君たち全員が無事であることを望んでるよ。
4) Deseábamos que todos los chicos (estar: estéis) bien.
   私たちは青年たち全員が無事であることを望んでいた。
5) Ese militar nos ordenó que no (moverse: nos moviéramos).
   その軍人は私たちに動くなと命令した。
6) Me alegro de que tú (poder: pudieras) ver a José.
   私は君がホセに会えたのがうれしい。
7) Me alegré de que tú (llevar: llevaras) muy bien con Almudena.
   私は君がアルムデナと上手くやっていてうれしかった。
8) Cuando yo vi a María ayer, ella se alegraba de que (encontrar, yo: hubiera encontrado) un trabajo muy bueno el día anterior.
   昨日私がマリーアと会った時、彼女はその前日に私がとてもいい仕事を見つけたことを喜んでいた。
9) Ana se alegró de que a sus padres les (gustar: hubiera gustado) su novio.
   アナは両親が恋人を気に入ったことを喜んだ。
10) Cuando yo hablé con Ana ayer, ella se alegraba de que sus padres y su novio (verse:) el mes pasado y les (encantar:).
    私がアナと昨日話した時、彼女は両親が恋人と先月会い、彼を気に入ったことを喜んだ。
11) Es muy probable que ellos no (aparecer: aparezcan).
    彼らが現れないことはかなりあり得る。
12) Es posible que esos señores ya (marcharse: se hayan marchado).
    その方々がすでに旅立ってしまった可能性はある。
13) En ese momento pareció posible que ustedes ya (irse:) el día anterior.
    その時点では、あなた方がその前日にすでに行ってしまったことはあり得たのです。
14) Es muy importante que tú lo (entender: entiendas).
    君がそれを理解することが重要なんだ。
15) Fue necesario que a estos políticos se lo (pedir: pidiéramos) nosotros.
    私たちがこの政治家たちにそれをお願いすることが重要だったのだ。
16) Es mejor que tú no lo (hacer: hagas) ahora.
    君は今それをやらないほうがいい。

125

17) Será mejor que tú no lo (decir: digas) de momento.
    君はとりあえずそれを言わないほうがいいだろう。
18) Sería mejor que tú no (hablar:) en este momento.
    君は今の時点では話さない方がいいかもしれない。
19) Era mejor que usted no (salir:) de aquí ayer.
    あなたは昨日ここから出ない方がよかった。
20) Sería mejor que tú y Gonzalo no (salir:) anoche.
    君とゴンサロは昨晩出かけないほうがよかったかもしれない。

2 日本語訳を参照しながら、（ ）内の動詞を接続法に活用させましょう。

1) ¿Hay algo que (necesitar, tú: necesites)? 何か必要なものはある？
2) No conozco a nadie que (hablar: hable) español.
   私はスペイン語を話せる人は誰も知らない。
3) No conocía a nadie que (saber: supiera) español.
   私はスペイン語を解する人は誰も知らなかった。
4) Buscamos un piso que (tener: tenga) dos dormitorios.
   私たちは、寝室が2つあるマンションを探しています。
5) Buscábamos un piso que (dar: diera) a la calle.
   私たちは、通りに面しているマンションを探していました。

3 日本語訳を参照しながら、（ ）内の動詞を接続法現在か直説法現在に活用させましょう。

1) Cuando (venir: viene), siempre se queda hasta muy tarde.
   彼女はここに来るといつも遅くまで残っている。
2) Cuando (venir: venga), no saldrá hasta muy tarde.
   彼女が来た時には、遅くまで出て行かないことだろう。
3) Vendrá aunque (nevar: nieve). 雪が降っていようと、彼は来るだろう。
4) Vendrá aunque (nevar: nieva). 雪が降っているが、彼は来るだろう。
5) Puedes coordinar la reunión como (querer: quieras).
   君が好きなように打ち合わせを調整していいよ。
6) Puedes coordinar la reunión como (querer: quieres).
   君がそう好むならそのように打ち合わせを調整していいよ。
7) Te lo digo para que lo (saber: sepas). 念のため、それを君に言っておくよ。
8) En caso de que no lo (encontrar: encuentre), a mí me lo dirá, por favor.
   それが見つからない場合は、私におっしゃってください。

9) Te voy a prestar este dinero con tal de que (firmar: firme) el contrato.
   契約書にサインするという条件でこの金を君に貸そう。
10) Iré a la fiesta a no ser que mi jefe me (decir: diga) algo.
    上司が何か言うのでもなければ、私は行くよ。

4 次のスペイン語の文のうち、間違っているものを3つ選んで番号を答えましょう。

1) Puede que no lleguemos a ningún sitio si seguimos este camino.
   この道を進んでいたらどこにもたどり着かないかもしれないよ。
2) No creo que hay un restaurante cerca de aquí.
   この近くにレストランがあるとは思わない。
3) Aunque vienes, nunca te voy a hablar.
   君が来たとしても、私は君には話しかけない。
4) Cuando vengas, lo sabrás.　来たらその時に分かるよ。
5) Busco un chalet que esté por aquí, ¿sabe usted dónde está?
   この辺りにある、とある別荘を探しているんですが、どこにあるかご存知ですか？
6) Me lo dijo para que lo supiera.　念のためを思って彼は私にそれを言ったんだ。

5 次のスペイン語を日本語にしましょう。

1) Lamento que no me entiendas.

2) Dudo que hayas terminado las tareas.

3) Trabajábamos para que mis hijos pudieran seguir estudiando.

4) No puede ser que todavía no haya venido él.

5) Queríamos comprar un piso que tuviera dos dormitorios.

6) Tendrás que ir al colegio aunque estés cansado.

7) No me pareció posible que se hubieran casado Almudena y Santiago.

8) Saldríamos aunque lloviera.

9) El jefe me dijo que no volviera a casa hasta que terminara la tarea.

10) El ladrón consiguió huir sin que lo detuvieran los policías.

6 次の日本語をスペイン語にしましょう。

1) 私は妹がホセと結婚できてうれしい。

2) 私どもはあなた方に喜んでいただきたいのです。

3) 私はスペイン語を話せる方お一人を探しています。

4) 私たちは日本語を話せる方お一人を探していました。

5) 君の調子がいい時に、また来てよ。（未来形を用いて）

24 接続法の用法2（命令文／独立用法／仮定文［現在と過去の非現実］）

▶ **命令文**

　命令や依頼をする際の言い方です。肯定命令（「～しなさい」、「～してください」）と否定命令（「～してはいけない」）の区別があります。

	1人称複数	2人称単数	2人称複数	3人称単数	3人称複数
肯定命令	接続法現在	命令法		接続法現在	
否定命令		No など否定語 + 接続法現在			

- 命令法：2人称に対して「～しなさい」と命令する際に用います。

tú に対して：直説法現在3人称単数の活用形と同形です。
　　Habla más despacio, que no te entiendo.
　　　もっとゆっくりしゃべってくれ、君（の言っていること）を把握できないから。
不規則活用をする動詞があります。
原形の語尾2文字を取るもの：tener → ten, poner → pon, venir → ven, salir → sal, hacer → haz（er を取り発音の都合上綴りを c → z に変える）
その他：decir → di, ir → ve, ser → sé
　　Sé bueno, ¿eh?　いい子でいろよ、な？

vosotros に対して：例外なく、原形の語末の r を d に置き換えます。
　　Salid de aquí, ¡ya!　ここから出ろ、すぐにだ！

- 接続法を用いた肯定命令（1人称複数、3人称単数と複数）
　　Hablemos en español aquí.　ここではスペイン語を話すようにしましょう。
　　Salgamos de aquí pronto.　早くここを出ましょう。

- 否定命令：接続法現在の活用の前に、no などの否定語をつけます。
　　Nunca ***hagas*** ruido en la biblioteca.　図書館では決して騒音を立てるな。
　　No ***salgáis*** de esta sala hasta que os dé la orden.
　　　私が君たちに命令するまで、この部屋を出るな。

- 再帰代名詞、目的格人称代名詞の位置：
　　再帰代名詞＞間接目的格人称代名詞＞直接目的格人称代名詞の優先順位で並べま

129

す。ただし、肯定命令と否定命令で位置が異なります。肯定命令では、活用した動詞の語末に直結させます。アクセントは活用した動詞に残るため、アクセント記号が置かれます。また、再帰動詞の 1 人称複数・2 人称複数に対する肯定命令では、それぞれ活用語尾の s・d が落ちます。

再帰動詞：levantarse　起床する

命令相手	命令文
nosotros	Levantémonos.（× Levantémosnos.）　起床しましょう。
tú	Levántate.
vosotros	Levantaos.（× Levantados.）
usted	Levántese.
ustedes	Levántense.

目的格人称代名詞：Me dices la verdad.　君は私に真実を言う。
　→ Me la dices.　君は私にそれ（＝「真実」、女性単数名詞）を言う。

命令相手	命令文
nosotros	Digámonosla.　お互いにそれを言い合おう。
tú	Dímela.　私にそれを言ってくれ。
vosotros	Decídmela.　私にそれを言ってくれ。
usted	Dígamela.　私にそれをおっしゃってください。
ustedes	Díganmela.　私にそれをおっしゃってください。

否定命令では、第 7 章で見たのと同じように、活用した動詞の前に一語ずつ、空白を入れつつ置きます。

　　No se levanten (ustedes).　まだ起床なさらないでください。

目的格人称代名詞：
　　No le decimos la mentira a Luis.　私たちはルイスに嘘は言わない。
　　→ No se la digamos (nosotros).　彼にそれを言わないようにしよう。

▶ 独立用法

- 「多分」の表現：quizá(s), tal vez, probablemente など、「不確実性」[☞ 第 23 章] を示す表現があると、動詞を接続法に活用します。口語表現 A lo mejor は直説法となります。

Tal vez se lo haya comido todo Teresa.　多分テレサが全部食べてしまった。
　　A lo mejor se lo <u>ha comido</u> todo Teresa.
　　¿Acaso me mintieras en aquel entonces?　まさか君はあの時嘘をついたのか。
- 願望文：Que, Ojalá などで始まる文の動詞は接続法に活用し、願望文となります。「～ならいい」、「～ならよかったのに」などと訳されます。
　　Que te mejores pronto.　早く君がよくなりますように。
　　Ojalá estés aquí ahora mismo.　君がたった今、ここにいたらいいのに。

▶仮定文

　「もしAなら、Bなのに」という文が事実に反することを述べるとき、その文全体を仮定文、「もしAなら」の部分を条件節、「Bなのに」の部分を帰結節と呼びます。条件節・帰結節がそれぞれ現在の仮定か過去の仮定かに応じて、動詞活用を使い分けます。

	現在の事実に反する	過去の事実に反する
条件節 (si「もし」)	接続法過去 ra 形・se 形　(a)	接続法過去完了 ra 形・se 形　(b)
帰結節	直説法過去未来　(1) （直説法線過去）	直説法完了過去未来　(2) （接続法過去完了 ra 形 [se 形不可]）

- (a)＋(1)：Si yo fuera millonario, compraría／compraba una casa muy grande.
　　もし私が億万長者なら、大きな家を買うだろうに。（今の事実としては、「私」は億万長者でもなく、大きな家も買えない）
- (b)＋(2)：Si yo no hubiera／hubiese tenido tanto trabajo ayer, habría／hubiera ido a la fiesta de despedida de Javier.
　　もし昨日私があんなに仕事を抱えていなかったら、ハビエルの送別会に行ったのだが。（過去である「昨日」の事実としては、「私」は仕事を抱えていたし、ハビエルの送別会には行けなかった）
- (b)＋(1)：Si no nos hubiéramos／hubiésemos encontrado en aquel entonces, no estaríamos tan felices como ahora.
　　もし私たちがあのとき出会っていなかったら、今こんなに幸せではなかっただろう。（事実としては、過去の「あのとき」に「私たち」は出会っており、現在「私たち」は幸せ）
- (a)＋(2)：Si yo fuera tú, le habría／hubiera mandado muchas cartas.
　　もし私が君なら、彼女にたくさんの手紙を送っていたことだろう。（事実としては、今「私」は「君」ではなく、過去にたくさんの手紙を送ることはなかった）

練習 24
Ejercicios

（解答：171 ページ）

1 （　）内のものを主語とし、次の動詞を肯定命令の形に活用させましょう。

1) hablar (tú) _____
2) cantar (tú) _____
3) comer (tú) _____
4) entender (tú) _____
5) vivir (tú) _____
6) vender (tú) _____
7) tener (tú) _____
8) salir (tú) _____
9) poner (tú) _____
10) venir (tú) _____
11) hacer (tú) _____
12) decir (tú) _____
13) ir (tú) _____
14) ser (tú) _____
15) descansar (vosotros) _____
16) sentar (vosotros) _____
17) aprender (vosotros) _____
18) hacer (vosotros) _____
19) dormir (vosotros) _____
20) venir (vosotros) _____
21) cerrar (usted) _____
22) lavar (usted) _____
23) comprender (usted) _____
24) hacer (usted) _____
25) venir (usted) _____
26) decir (usted) _____
27) mirar (ustedes) _____
28) parar (ustedes) _____
29) beber (ustedes) _____
30) poner (ustedes) _____
31) recibir (ustedes) _____
32) ir (ustedes) _____
33) dejar (nosotros) _____
34) comprar (nosotros) _____
35) volver (nosotros) _____
36) ser (nosotros) _____
37) abrir (nosotros) _____
38) pedir (nosotros) _____
39) repetir (usted) _____
40) ir (vosotros) _____
41) morir (ustedes) _____
42) salir (usted) _____
43) contar (tú) _____
44) dormir (nosotros) _____
45) sentir (ustedes) _____
46) tocar (usted) _____
47) sacar (tú) _____
48) ver (ustedes) _____
49) tener (ustedes) _____
50) decir (nosotros) _____

2 （　）内のものを主語とし、次の動詞を否定命令の形に活用させましょう。

1) no bailar (tú) _____
2) no beber (vosotros) _____
3) no escribir (usted) _____
4) no cantar (ustedes) _____
5) no comer (nosotros) _____
6) no abrir (tú) _____
7) no pedir (usted) _____
8) no volver (ustedes) _____
9) no encontrar (tú) _____
10) no dormir (vosotros) _____
11) no llamar (usted) _____
12) no lavar (tú) _____

13) no salir（vosotros）　　　　　　14) no venir（ustedes）
15) no decir（tú）　　　　　　　　　16) no servir（usted）
17) no tener（nosotros）　　　　　　18) no hablar（vosotros）
19) no ir（ustedes）　　　　　　　　20) no ver（tú）

3 例にならって、次の平叙文の下線部を直接目的格人称代名詞に置き換えて肯定命令文を作りましょう。

例) Haces <u>los deberes</u>.　君は宿題をする。→ Hazlos.　君はそれらをしろ。

1) Coges <u>la maleta</u>.
   君はスーツケースをピックアップする。
2) Escribís <u>muchos libros</u>.
   君たちはたくさんの本を書く。
3) Usted cuenta <u>la historia</u>.
   あなたはその話を語る。
4) Ustedes mandan <u>el paquete</u>.
   あなた方はその小包を送る。
5) Levantamos <u>la mesa</u>.
   私たちは机を起こす。
6) Aquí <u>me</u> esperáis.
   君たちはここで私を待つ。
7) Dicen <u>la verdad</u>.
   あなた方は真実を述べる。
8) Aprendes <u>inglés</u>.
   君は英語を学ぶ。
9) Vemos <u>estos programas</u>.
   私たちはこれらの番組を見る。
10) Pone <u>los platos</u> ahí.
    あなたは皿をそこに置く。

4 例にならって、次の平叙文の下線部を直接あるいは間接目的格人称代名詞に置き換えて肯定命令文を作りましょう。

例) Me das <u>un cigarrillo</u>.　君は私にタバコを一本くれる。→ Dámelo.　それを私にくれ。

1) Me compras <u>un billete</u>.
   君は私にチケットを一枚買う。

2) Le hacéis un favor.
　　君たちは彼にひいきをする。
3) Usted compra la casa a su madre.
　　あなたはあなたのお母様に家を買う。
4) Ustedes me mandan los mensajes.
　　あなた方はメッセージを私に送る。
5) Pedimos al camarero este plato.
　　私たちはウェイターにこの料理を頼む。
6) Dais a Jorge esta información.
　　君たちはホルヘにこの情報を渡す。
7) Envían ustedes los archivos al jefe.
　　あなた方はそれらのファイルを上司に送る。
8) Me enseñas esas fotos.
　　君は私にそれらの写真を見せる。
9) Vendemos a Alberto el coche.
　　私たちはアルベルトにその車を売る。
10) Usted me dice eso.
　　あなたは私にそれを言う。

5 例にならって、次の平叙文を肯定命令文に書き換えましょう。その際、下線があれば直接目的格人称代名詞に置き換えましょう。

例) Te pones la corbata.　君はネクタイを身につける。→ Póntela.　君はそれを身につけろ。

1) Te vas.
　　君は行ってしまう。
2) Os escribís.
　　君たちは手紙を送り合う。
3) Se acuesta usted.
　　あなたは就寝する。
4) Se levantan ustedes.
　　あなた方は起床する。
5) Nos dormimos.
　　私たちは寝てしまう。
6) Se lavan las manos.
　　あなた方は手を洗う。

7) Te llevas la maleta.
   君はスーツケースを持っていく。
8) Se pone el abrigo.
   あなたはコートを着る。
9) Os compráis los billetes.
   君たちは自分たちにチケットを買う。
10) Nos quitamos la chaqueta.
    私たちはジャケットを脱ぐ。

6 例にならって、次の平叙文を否定命令文に書き換えましょう。その際、下線部は直接あるいは間接目的格人称代名詞に置き換えましょう。

例) No te lavas las manos. 君は手を洗わない。→ No te las laves. 君はそれらを洗うな。

1) No comes estas pizzas.
   君はこのピザを食べない。
2) No tiráis ese papel.
   君たちはその紙を捨てない。
3) No fuma usted cigarrillo.
   あなたはタバコを吸わない。
4) No hacen ustedes ruido.
   あなた方は騒音を立てない。
5) No miramos a Pepe.
   私たちはペペを見ない。
6) No mandas esa nota al jefe.
   君は上司にそのメモを送らない。
7) No decís eso a nadie.
   君たちはそれを誰にも言わない。
8) No compra usted ese juguete a sus niños.
   あなたはそのおもちゃを自分のお子さんたちに買ってあげない。
9) No venden ustedes esa casa a Juana.
   あなた方はその家をフアナに売らない。
10) A ese hombre no le contamos la historia nunca.
    私たちはその男には決してその話をしない。
11) No te mueves.
    君は動かない。

12) No os marcháis.
   君たちは立ち去らない。
13) No se va.
   あなたは行ってしまわない。
14) No se levantan.
   あなた方は起床しない。
15) No nos hablamos más.
   私たちはもうお互いに話しかけない。
16) No te lavas la cara.
   君は顔を洗わない。
17) No os quitáis el abrigo.
   君たちはコートを脱がない。
18) No se lleva sus cosas.
   あなたはご自身のものを身につけない。
19) No se ponen el sombrero.
   あなた方は帽子をかぶらない。
20) No nos damos las manos todavía.
   私たちはまだ握手をしない。
21) No se duchan.
   あなた方はシャワーを浴びない。
22) No nos dormimos.
   私たちは寝てしまわない。
23) No te quitas los zapatos aquí.
   君はここで靴を脱がない。
24) No os morís.
   君たちは死なない。
25) No se limpia los dientes.
   あなたは歯を磨かない。

7 （ ）内の動詞を適切な形に活用させましょう。
1) (Tener, tú:) en cuenta las circunstancias.　環境を考慮に入れなさい。
2) No (ponerse, usted:) nervioso.　ナーバスにならないでください。
3) (Hacer, ustedes:) el favor de no aparcar aquí.
   ここで駐車しないでください。

4) (Acostarse, vosotros:　　　　　) a las siete en punto.
　　君たちは 7 時ちょうどに起きろよ。
5) (Salir, nosotros:　　　　　) de aquí inmediatamente.　ここからすぐに出よう。
6) No (pagar, ustedes:　　　　　) aquí.　ここではお支払いにならないでください。
7) (Dormirse, tú:　　　　　) bien.　よく眠れよ。
8) No (verse, nosotros:　　　　　) nunca más.　もう会わないようにしよう。
9) (Pedir, vosotros:　　　　　) me a mí.　私に注文してください。
10) No (irse, usted:　　　　　) todavía.　まだ行かないでください。

8 日本語訳を参照しながら、（ ）内の動詞を適切な形に活用させましょう。

1) Quizá (tener:　　　　　) vosotros que pagar aquí.
　　多分ここで君たちが払わなきゃいけないね。
2) Que (hacer:　　　　　) buen tiempo.　いい天気でありますように。
3) ¡Ojalá (aprobar:　　　　　) todos nosotros!　私たちみんな受かるといいな！
4) Probablemente el director (estar:　　　　　) fuera.　部長は恐らく外出しています。
5) A lo mejor Santiago (estar:　　　　　) durmiendo en casa.
　　多分サンティアゴは家で寝てるよ。
6) Esta mañana, tal vez, (aparecer, ellos:　　　　　) a la reunión.
　　今朝は、多分会議に来るよ。
7) Acaso (haber:　　　　　) mucho emails no leídos.
　　ひょっとするとたくさんの未読メールがあるかもしれない。
8) Tal vez ya (hablar, él:　　　　　) con ella esta mañana.
　　多分彼は今朝彼女と話したんだよ。
9) ¡Ojalá (poder:　　　　　) borrar malas memorias!
　　悪い記憶を消すことができたらいいのに！
10) Habla como si (estar:　　　　　) en la situación ayer.
　　彼はあたかも昨日現場に居たかのように話す。

9 日本語訳を参照しながら、（ ）内の動詞を適切な形に活用させましょう。

1) Si yo (ser:　　　　　) ese hombre, no (estar:　　　　　) aquí ahora.
　　もし私がその男性なら、今ここにいないだろう。
2) Si (tener, tú:　　　　　) un millón de yenes, ¿qué (hacer, tú:　　　　　)?
　　もし 100 万円持っていたら、何をする？
3) Si (ir:　　　　　) tú a la fiesta, yo te (acompañar:　　　　　).
　　もし君がパーティに行くのなら、君についていくんだけどね。

4) Si ellos (ponerse:) de acuerdo, (ser:) fantástico.
   もし彼らが合意できたら、素晴らしいことだが。

5) Si nos (quedar:) más tiempo, (ir:) a la fiesta.
   もし私たちに時間が残されていたら、パーティに行くんだけど。

6) Si yo (ser:) el padre de Paco, ayer (enfadarse:) mucho con él.　もし私がパコの父親だったら、昨日パコにかなり怒っていたことだろう。

7) Si (saber, nosotros:) hablar español, (poder:) divertirnos más en la fiesta de anoche.
   もし我々がスペイン語を話せたら、昨晩のパーティでもっと楽しめていたのに。

8) Si yo en tu lugar, (tapar:) los oídos cuando hablaba ese hombre.
   もし私が君なら、その男性が話している間耳をふさいでいただろう。

9) Si el profesor (estar:) con nosotros, en ese entonces nos (ayudar:) mucho.
   もし先生が私たちとともにあれば、その時私たちを大いに助けてくれたことだろう。

10) Si tú (ser:) un fan del Real Madrid, te (invitar, nosotros:) al partido de anoche.
    もし君がレアル・マドリーのファンなら、昨晩の試合に招待したんだけどね。

11) Si (tener, yo:) un millón de euros entonces, ahora (vivir:) fuera del país.　もしその時100万ユーロ持っていたら、今ごろ国外だろう。

12) Si (ir:) tú a la fiesta anoche, ahora no (estudiar:).
    もし君がパーティに行っていたら、今勉強していないだろう。

13) Si (estar:) pasando por esta calle cuando hubo el accidente, yo no (estar:) aquí ahora.
    もしその事故があった時この通りを通っていたら、私は今ここにいないはずだ。

14) Si (conocerse, nosotros:) hace diez años, no (llevarse:) tan bien como ahora.
    もし私たちが10年前に知りあっていたら、今こんなに仲よくないだろう。

15) Si anoche (descansar, tú:) bien, no (estar:) resfriado ahora.　もし昨晩よく休んでいたら、今風邪を引いていないだろうに。

16) Si (conocerse, nosotros:) cuando yo era joven todavía, no (estar, nosotros:) casados.
    もし私がまだ若いころに私たちが知りあっていたら、結婚していなかっただろう。

17) Si ellos (ponerse:) de acuerdo en aquel entonces, no (haber:) ningún problema.
    もし彼らがあの時合意していたら、何も問題はなかったんだが。

18) Si (tener, nosotros:) tres millones de dólares entonces, (comprar:) coches, casas, chalet… etc.
    もしその時私たちが 300 万ドル持っていたら、車や家や別荘などを買っていただろう。
19) Si no (nevar:) ayer en la carretera, (llegar, nosotros:) antes de amanecer.
    もし昨日高速で雪が降っていなかったら、夜明け前にはついていただろう。
20) Si anoche (dormir, tú:) bien, (sacar:) buenos resultados en el examen de esta mañana.
    もし昨晩よく眠っていたら、今朝の試験でいい結果が得られていただろうに。

10 次のスペイン語を日本語にしましょう。

1) Durmamos bien esta noche.

2) Siéntense en ese sofá y pónganse cómodos.

3) No juegues aquí. Vete al parque.

4) No vengas a verme.

5) Tal vez José pudiera llegar a tiempo.

6) Que tenga usted la bondad de callar.

7) Si no lloviera, saldría de casa para pasear.

8) Si yo no tuviera la clase de hoy, anoche hubiera ido al concierto.

9) Si tú hubieras cerrado la puerta, no tendríamos que ir a la policía.

10) Si no hubiéramos estudiado tanto en la universidad, no habríamos podido trabajar en esa empresa.

解答

練習1

1 著者が自分の名前でやってみます。

Shingo → ese hache i ene ge o

2 1) ce de　　　　2) te uve（実際にはこう書いて televisión と読みます。以下同じです）
3) u e　　　4) de uve de　　　5) ene hache a　　　6) de ene i
7) ese eme ese　　8) pe i be (pib)　　9) o ene u (onu)　　10) i uve a (iva)
11) pe uve pe　　12) a de ene　　13) a uve e (ave)　　14) o uve ene i (ovni)
15) u ene a eme (unam)

3 1) a / jo　　　　2) pe / lo　　　　3) ma / no
4) ca / ra　　　　5) va / ca　　　　6) ba / ño
7) za / pa / to　　8) a / mi / go　　9) bo / ni / to
10) co / mi / da　　11) o / to / ño　　12) me / di / ci / na
13) du / cha　　14) bi / lle / te　　15) to / rre
16) ma / qui / lla / je　　17) gui / ta / rra　　18) car / ne
19) Ja / pón　　20) pes / ca / do　　21) es / pa / ñol
22) her / ma / no　　23) pe / nín / su / la　　24) Sa / la / man / ca
25) fa / cul / tad　　26) ver / du / ra　　27) u / ni / ver / si / dad
28) cir / cuns / tan / cia　　29) cie / lo　　30) ai / re
31) jue / go　　32) pia / no　　33) cue / llo
34) llu / via　　35) ba / rrio　　36) bien / ve / ni / da
37) cua / der / no　　38) béis / bol　　39) es / tu / dio
40) con / ti / nuo　　41) ciu / dad　　42) des / pa / cio
43) mu / se / o ※強母音が2つ続いた場合は、二重母音とはしませんので注意しましょう。
44) pa / e / lla　　45) pin / güi / no
46) tí / o ※弱母音にアクセント記号がついた場合、その弱母音は強母音扱いです。
47) bú / ho　　48) U / ru / guay　　49) cla / se
50) gran / de　　51) a / le / gre　　52) pa / la / bra
53) le / tra　　54) nom / bre　　55) sim / ple
56) con / trol　　57) e / jem / plo　　58) li / bre / rí / a
59) cons / truc / ción　　60) a / e / ro / puer / to

練習2

1 1) ⓣⓞ/ ro　　　　2) ⓒⓞ/ sa　　　　3) ⓟⓘ/ so
4) cer /ⓥⓔ/ za　　5) ⓕⓞ/ to　　6) a /ⓛⓤⓜ/ no
7) e /ⓠⓤⓘ/ po　　8) ⓑⓛⓐⓝ/ co　　9) de / par / ta /ⓜⓔⓝ/ to
10) mi /ⓝⓘⓢ/ tro　　11) e /ⓧⓐ/ men　　12) ser /ⓥⓘ/ cio
13) ⓜⓔ/ dio　　14) an /ⓣⓘ/ guo　　15) ma / tri /ⓜⓞ/ nio

16) I /⒯/ lia 17) a /⒞ei/ te 18) ⒟eu/ da
19) es /⒞ue/ la 20) a /⒝ue/ lo 21) i /⒟io/ ma
22) ⒥ui/ cio 23) ⒥ue/ ves 24) a /⒮e/ o
25) Co /⒭/ a 26) to /⒜/ lla 27) re /⒜l
28) cum / ple /⒜/ ños 29) ⒜/ ni / mo
30) ⒧e/ jos ※語尾が子音の単語でも、-n、-s は語尾が母音の場合と同じです。
31) ⒨á/ qui / na 32) o /⒭/ gen 33) fran /⒞és
34) vo /⒧u/ men 35) ca /⒨ión 36) ja / po /⒩és
37) ⒢uí/ a 38) re /⒧oj 39) ni /⒱el
40) co /⒧lar 41) Ma /⒟rid 42) se / gu / ri /⒟ad
43) ⒜r/ bol 44) co / ne /⒳ión 45) es / tu /⒟ian/ te
46) ⒪r/ den 47) Ma /⒭/ a 48) ⒨é/ to / do
49) pa /⒭/ guas 50) li / ber /⒯ad

2 1) 男性　2) 女性　3) 男性　4) 女性　5) 男性　6) 男性
7) 女性　8) 女性　9) 男性　10) 女性　11) 男性　12) 男性
13) 男性　14) 女性　15) 男性　16) 男性　17) 男性　18) 女性
19) 男性　20) 女性　21) 男性　22) 女性　23) 男性　24) 女性
25) 女性　26) 女性　27) 女性　28) 女性　29) 男性　30) 男性
31) 男性　32) 女性　33) 男性　34) 女性　35) 女性　36) 男性
37) 男性　38) 男性　39) 男性　40) 女性

※ 語尾が -o、-a 以外の名詞と、語尾が -o なのに女性名詞、-a なのに男性名詞のものは、特に注意してください。

3 1) gatos　2) cosas　3) fotos　4) estudiantes
5) pianistas　6) alumnas　7) empresas　8) padres
9) planes　10) profesores　11) colores　12) leyes
13) papeles　14) flores　15) felicidades　16) hospitales
17) lápices　※複数形語尾をつけるだけだと、lápizes のように ze というつづりが生じるので、ce にします。スペイン語では、ze / zi は ce / ci とつづります（8 ページ参照、人名地名などは除く）。
18) cruces
19) jóvenes　※単数形でも複数形でも、アクセントの位置は変わらないことがほとんどです。この場合、jo / ven の jo の音節にアクセントがあり、複数形でもその位置は変わりません。そうすると、語尾が -n にもかかわらず、後ろから 3 番目の音節にアクセントがあることになるので、アクセント記号を追加します。
20) estaciones　※複数形を音節に区切ると es / ta / cio / nes となります。語尾は -s で、アクセント記号のあった ó が後ろから 2 番目となり、アクセント記号をつける理由

がなくなるので、記号をはずします。

21) exámenes　　22) jardines　　23) jamones　　24) razones
25) trabajadores　26) grupos　　27) voces　　28) amigas
29) regímenes　※アクセントの位置とアクセント記号が移動する例です。
30) paraguas　※単複同形となります。

4 1) caso　　　2) mesa　　　3) amigo　　　4) calle
5) coche　　6) hotel　　7) reloj　　8) universidad
9) joven　※単数形 joven では、語尾が -n になり、アクセントのある音節 jo- が後ろから2番目となりますので、アクセント記号はありません。
10) futbolista　11) canción　12) voz　13) tenedor
14) jardín　※単数形にはアクセント記号がありますが、複数形になることによって消えます。jar / di / nes と、語尾が -s になり、アクセントのある -di- の音節が後ろから2番目となるためです。
15) profesor　16) señora　17) pared　18) plato
19) tren　　20) lápiz　21) avión　22) mamá
23) facultad　24) color　25) régimen
26) carácter　※アクセントの位置が単数形と複数形で違う例です。複数形ではアクセント記号がありません。
27) paraguas　28) mapa　29) despacho　30) vacación
※ coches や calles のように母音＋s のものと、relojes のように子音＋es のものを混同しないようにしましょう。

5 1) chica　　2) alumno　　3) perra　　4) amigas
5) profesor　6) doctora　7) actor　8) trabajadora
9) mujer　　10) música　11) madre　12) rey
13) turista　※ -ista で終わるものは男女同形となります。
14) productora　15) toro　16) médico　17) pintora
18) señora / señorita　19) extranjera
20) campeón　※単数形はアクセント記号があります。

練習3

1 1) un　2) una　3) un　4) una　5) un　6) una　7) una
8) un　9) un　10) una　11) unos　12) unos　13) unas　14) unas
15) unas　16) una　17) unos
18) un (una)　※ a-, ha- で始まり、かつその先頭の a-, ha- にアクセントが来ている女性名詞単数形の直前では、una を使うこともあります。
19) una　20) unos

2 1) el　2) la　3) el　4) la　5) la　6) el　7) los

8) el   9) el   10) las   11) la   12) la   13) el   14) la
15) los   16) la
17) el   ※ a-, ha- で始まり、かつその先頭の a-, ha- にアクセントが来ている女性名詞単数形の直前では、必ず定冠詞 el を用います。
18) los   19) el   20) las

3
1) guapo 格好いい男性
2) delgada やせた女性
3) listos 賢い学生数名
4) famosas 有名な先生方数名
5) caros 何冊かの高い本
6) grande 大きな辞書
7) viejos 高齢の友だち数名
8) nuevo 新しい船
9) gran 偉大な女優 ※形容詞 grande は、男性・女性問わず名詞単数形の前に置かれた時に、gran となります。
10) buen いいバル ※形容詞 bueno は、男性名詞単数形の前に置かれた時に、buen となります。
11) elegantes 何軒かの品のある家
12) barata 安い雑誌
13) trabajadores 勤勉な若者数名
14) mal 悪いレストラン ※形容詞 malo は、男性名詞単数形の前に置かれた時に、mal となります。意味もあわせて、bueno と malo はペアにして覚えるといいでしょう。
15) mala 悪い人
16) largos 何本かの長い糸
17) baja 低い声
18) interesante 興味深いテーマ
19) limpia きれいな部屋
20) bonitas 何枚かの美しい（いい）写真
※ 不定冠詞の複数形は「いくつかの」「何人かの」となることを忘れないようにしましょう。

4
1) unos chicos mexicanos
2) las empresas españolas
3) el muchacho chileno
4) una entrada cara
5) los coches alemanes
6) un trabajador joven
7) unas pianistas coreanas
8) la profesora argentina
9) unos buenos futbolistas
10) los grandes salvadores
11) un mal vecino
12) unas otras cosas
13) la gran compositora
14) los estudiantes japoneses
15) la brillante victoria
16) un baño grande
17) unos idiomas populares
18) el derecho fundamental
19) las mujeres especiales
20) una expresión elegante

練習 4

1
1) mi   2) tu   3) su   4) nuestro   5) vuestra
6) su   7) nuestra   8) tus   9) su   10) sus
11) vuestro   12) mis   13) vuestros   14) su   15) su

16) mía	17) tuyo	18) suya	19) nuestra	20) vuestro
21) suyos	22) tuyo	23) suyas	24) suyos	25) tuyas
26) nuestro	27) mías	28) tuya	29) mío	30) tuyos
31) nuestros	32) su	33) vuestra	34) sus	35) suyo
36) suyo	37) suya	38) nuestras	39) míos	40) vuestras

2
1) este	2) esta	3) estos	4) estas	5) ese
6) esa	7) esos	8) esas	9) aquel	10) aquella
11) aquellos	12) aquellas	13) este	14) aquella	15) esos
16) aquellas	17) ese	18) esta	19) aquellos	20) esas
21) aquel	22) esta	23) estos	24) estas	25) aquella
26) esa	27) esa	28) estos	29) esos	30) aquella

※ 間違いやすいポイントは、「この／これ」と「その／それ」の混同（例：ese なのに「この」としてしまう）と、男性単数の aquel（例：aquell や aquello としてしまう）ではないでしょうか。正確に覚えるよう心がけましょう。

3
1) mis tiempos
2) estas camas
3) el teléfono tuyo
4) aquellas páginas
5) tus tíos
6) ese chico
7) nuestros camiones
8) aquellos dormitorios
9) vuestra mesa
10) los apellidos suyos
11) la expresión mía
12) unos amigos vuestros
13) aquel despacho suyo
14) estos diccionarios míos
15) los temas nuestros
16) sus propias fotos
17) esos pescados tuyos
18) aquel mapa nuestro
19) nuestras historias largas
20) su gran canción

練習 5

1
1) soy	2) eres	3) es	4) es	5) somos
6) sois	7) son	8) somos	9) son	10) Soy
11) son	12) es	13) sois	14) eres	15) es
16) son	17) Es	18) son	19) son, somos	20) somos

※ 動詞の活用は、スペイン語を習得する上で大変重要です。この章にかぎらず、出てきた動詞は、声に出す、手書きするなどして、繰り返し活用を練習しましょう。また、その際 soy, eres, es... ではなく、yo soy, tú eres, él es... のように、必ず主語をつけて練習してください。主語をつけずに練習すると、「上から～番目」という具合に覚えてしまい、会話の場面では頭の回転に活用が追いつかなくなります。主語をつけて練習すれば、それもありません。

※ 男性の定冠詞 el は、前置詞 de の後につくと結合して del となります。なお、前置

詞 a の後につくと、al となります。

2
1) estoy	2) estás	3) está	4) está	5) estamos
6) estáis	7) están	8) está	9) estás	10) estamos
11) está	12) están	13) estáis	14) Está, estoy	15) Está
16) está	17) estoy	18) está	19) estoy	20) Están, están

3
1) soy	2) está	3) estás	4) sois	5) están
6) son	7) somos	8) Está	9) somos	10) Eres
11) es	12) está	13) están	14) son	15) son

4
| 1) Hay | 2) está | 3) Hay | 4) Están | 5) Hay |
| 6) están | 7) está | 8) está | 9) hay | 10) está |

5
1) hay　　　　　　　2) está, está　　　　3) Es
4) es, Es　　　　　　5) está, Está　　　　6) hay, es, Es, Está
7) Hay, hay, está, Está　　8) está, está, Hay, Es

6
1) ¿Qué compras? / ¿Qué compra usted?
2) ¿Cuántos periódicos lees (lee usted) al día?
3) ¿Qué eres? / ¿Qué es usted?
4) ¿Cuál es tu (su) apellido?
　※「何」ではなく「どの苗字」と考えます。また、Mi → tu (su) になります。
5) ¿De dónde son ellos?
6) ¿Cuándo es el cumpleaños de Paco?
7) ¿Cómo estás (tú)? / ¿Cómo está (usted)?
8) ¿Cuál es la capital de España?
9) ¿Cómo es Ana?
10) ¿Dónde estáis?

7
1) この近くにレストランが一軒ある。とてもいいレストランだ。
2) 「この通りに本屋はありますか？」「はい、そこに一軒あります。その角にあります」
　※同じ「ある」でも haber か estar かに気をつけてください。
3) 「パーティはいつ？」「3月28日火曜日に、あるディスコでやるよ」
　※「（出来事が）起こる」の意味の ser です。
4) 「それで、そのディスコはどこにあるの？」「アロンソ・マルティネス広場にあるよ」

8
1) El cumpleaños de Pablo es el 30 de noviembre.
2) Mis amigos están en el hotel.
3) Aquella profesora es alegre pero ahora está cansada.
　※ 2) も 3) もともに、ser は主語を「分類」し、estar は主語の「状態」を述べています。

9
1) (Yo) Soy estudiante de esa universidad. ※ yo は省略可能です。スペイン語では主語が明らかに分かる場合は省略することが多くなります。

145

2) Hay una estación en esta ciudad. Está cerca de aquí.
　※ Hay una estación... で「駅がある（存在している）」ことを述べます。その後、もうあることは分かった駅について、その所在を estar で述べています。
3) La fiesta es hoy pero José y María están cansados.

練習 6

1
1) hablo	2) tomas	3) desayuna	4) cenamos	5) buscáis
6) escuchan	7) como	8) bebes	9) aprende	10) comprendemos
11) leéis	12) creen	13) vivo	14) escribes	15) abre
16) cubrimos	17) subís	18) parten	19) cantas	20) compramos
21) meten	22) rompo	23) recibís	24) permite	25) llevamos
26) imprimís	27) divides	28) venden	29) lleva	30) miro

2
1) veo　　2) pongo　　3) salgo　　4) conozco　　5) hago
6) sé　　7) traigo
8) dirijo　※ dirigir は 1 人称単数で dirijo と g → j のつづりの変化が起こります。dirigo とすると、子音 g の音が変わってしまうためです。[☞ 第 1 章 8 ページ]
9) oyen　　10) empieza　　11) quiere　　12) entendemos　　13) cerráis
14) sienten
15) distingo　※ -guir で終わる動詞の 1 人称単数は、-guo ではなく -go となります。-guo としてしまうと、ガ行音ではなくなるためです。[☞ 第 1 章 8 ページ]
16) cuesta　　17) puede　　18) juega
19) dormís　　20) mueren　　21) pido　　22) repites　　23) siguen
24) servimos　　25) vestís　　26) eligen　　27) tengo　　28) vienes
29) digo　　30) vamos

3
1) (mandar) [yo]　　2) (hablar) [tú]　　3) (comer) [él など]
4) (beber) [nosotros]　　5) (escribir) [vosotros]　　6) (vivir) [ellos など]
7) (cortar) [ellos など]　　8) (bailar) [vosotros]　　9) (aprender) [yo]
10) (romper) [él など]　　11) (abrir) [tú]　　12) (subir) [nosotros]
13) (entender) [vosotros]　　14) (sentir) [él など]　　15) (poder) [nosotros]
16) (dormir) [tú]　　17) (pedir) [él など]　　18) (servir) [ellos など]
19) (jugar) [tú]　　20) (venir) [yo]　　21) (saber) [yo]
22) (tener) [él など]
23) (llover) [3 人称単数]　※ 天候を示す場合は、3 人称単数となります。[☞ 第 12 章]
24) (decir) [nosotros]　　25) (ir) [vosotros]　　26) (seguir) [yo]
27) (repetir) [él など]　　28) (hacer) [yo]　　29) (ir) [yo]
30) (ver) [yo]
　※ nosotros、vosotros はそれぞれ nosotras、vosotras と女性複数形も入ります。また、

「él など」には ella、usted などの3人称単数も入ります。同じく、「ellos など」には ellas、ustedes なども入ります。

4 1) hablo　　2) llegas　　3) trabaja　　4) comprendo　　5) Voy

6) Abren　※ 店を開ける人は何人かいることが想定されるので ellos としていますが、誰かは特定できません。不特定多数の ellos といい、よく用います。ただし、その場合の ellos は、文中や会話では省略する場合がほとんどです。

7) Salgo	8) entiendes	9) duerme	10) quiero
11) cuestan	12) Sé	13) tiene	14) dices	15) Pido
16) oigo	17) Siguen	18) Vengo	19) sentimos	20) sirve

5 ※ 会話文では、主語に注意しましょう。「君は〜？」「あなたは〜？」と聞かれた場合は、「私は〜」で答え、動詞もそれぞれの主語に活用します。

1) Comes, como

2) Habla, hablo　※日本語から、一文目の主語は usted と考えます。

3) hace, hago, Voy　　　4) puedes, puedo

5) debe, Suele　※ deber de ＋原形は「〜のはず」となり、deber ＋原形とは区別します。

6) Lees, veo　　　7) traigo, quiero　　　8) agradezco

9) repite　　　10) quieres, sé　　　11) viene, Dice, está

12) Puede, siento, Hablo　　　13) Debo, puedo, tengo, conduzco

6 1) Esta niña duerme bien todos los días.　※ todos los días は文頭でもいいでしょう。

2) En esta clase no debéis hablar japonés.
　　※ debéis は debes (tú), debe (usted), deben (ustedes) でもいいでしょう。

3) Hoy no tenemos que ir a trabajar.　※ Hoy は文末でもいいでしょう。

7 1) ラウルは図書館で雑誌を読む。

2) その先生の授業はとても早く始まる。

3) 私たちはいっしょに夕食は取らない、なぜなら私たちはとても忙しいからだ。
　　※ porque ＋文で、「なぜなら〜だから」となり理由を述べます。重要表現です。ただし、疑問文で理由をたずねる際は ¿Por qué 〜？のように、前置詞 por と疑問詞 qué に分けて書きます。

4) 私はやりたくないから宿題はやらない。

5) 彼ら（彼女ら、あなた方）は遅刻するだろう。
　　※ ir a ＋原形で、現在形を用いながら未来のことを述べることができます。未来の表現については、第19章を参照してください。

6) 君は遅くまで働かなくてもいい。
　　※ tener que ＋原形の否定文は「〜しなくてもよい」となります。

7) 毎日私はよく眠っている。

8) 私たちは早く話してはいけない。

※ deber ＋原形の否定文は「〜してはいけない」で禁止の意味です。

　9) 私の父は料理がうまい。

　10) 君は落ち着いていなくてはいけない。

8　1) Vivimos cerca de la universidad.

　2) Francisco suele venir a esta cafetería.

　3) No debes conducir ahora porque no tienes carné de conducir.

練習 7

1　1) me　　　2) te

　3) Lo　※ 一部の地域ではこの直接目的格人称代名詞の3人称を le、les で表すことがあります。leísmo といいますが、このドリルでは扱いません。

　4) La　　5) nos　　6) os　　7) Los　　8) Las　　9) Lo　　10) me

　11) Te　　12) os　　13) lo　　14) me　　15) La　　16) Las

　17) Los / Las　※「あなた方」が女性だけの場合、Las となります。

　18) Los / Las　19) lo　※中性の lo です。hacer に直結します。　20) Me, te

2　1) me　　2) te　　3) le　　4) nos　　5) Os　　6) Les　　7) te

　8) Le　　9) Os

　10) Nos　※ お皿を片付けてもらうのは「私たち」です。動詞「片付ける」によって利益をこうむる対象を、このように間接目的格人称代名詞で表現できます。間接目的格人称代名詞なのに「〜に」とは表現できない形です。

　11) Me　　12) les　　13) Os　　14) Me　　15) Nos　　16) Le　　17) te

　18) les　※ causar の後に直結します。　　19) Me, te

　20) Te, me　※ 2つ目の me は prestar の後に直結します。pedir un favor de ＋原形は、ていねいなお願いをする時に有用です。覚えておくといいでしょう。

3　1) Lo compro.　　2) Los compro.　　3) La compro.　　4) Las compro.

　5) Voy a comprarlo. / Lo voy a comprar.　　6) Voy a comprarlos. / Los voy a comprar.

　7) Voy a comprarla. / La voy a comprar.　　8) Voy a comprarlas. / Las voy a comprar.

　9) La regalas.　　10) Lo estudio.　　11) Los mandas.　　12) Lo alquilamos.

　13) La quiero mucho.

　　※ 問題文にある前置詞の a は、直接目的語が特定の人を指しているので必要ですが、直接目的格人称代名詞に変わるとなくなります。間接目的語につく a も同じです。

　14) Tengo que enviarla. / La tengo que enviar.

　15) ¿Puedo cogerlo? / ¿Lo puedo coger?

4　1) Le compro un libro.　　2) Les compro un libro.

　3) Le compro dos flores.　　4) Les compro dos flores.

　5) Voy a comprarle un billete. / Le voy a comprar un billete.

　6) Voy a comprarles una novela. / Les voy a comprar una novela.

7) Voy a comprarle una flor. / Le voy a comprar una flor.

8) Voy a comprarles unas flores. / Les voy a comprar unas flores.

9) Les regalas una novela.

10) Le mandas dos correos electrónicos.

11) José le compra un piso.

12) Quiero regalarle estos chocolates. / Le quiero regalar estos chocolates.

13) Voy a venderle este coche. / Le voy a vender este coche.

14) Tengo que enviarles estos paquetes. / Les tengo que enviar estos paquetes.

15) ¿Puedes pasarle el plato? / ¿Le puedes pasar el plato?

5 1) Se lo regalo.　2) Se la regalo.　3) Se los regalo.　4) Se las regalo.

5) ¿Puede mostrármelo? / ¿Me lo puede mostrar?

※ アクセント記号がつきます。目的格人称代名詞が直結される前の mostrar 単独の時、アクセントは mos / trar の -trar にあります。目的格人称代名詞が直結されても、その -trar- にあるアクセントは動きません。しかし、単語としては mostrármelo となり、語尾が母音で、かつ後ろから数えて3番目にアクセントが来ることになるので、アクセント記号をつけます。以下の問題も同じです。

6) ¿Puede dárnoslo? / ¿Nos lo puede dar?

7) No quiero vendérselo. / No se lo quiero vender.

8) Tengo que explicársela. / Se la tengo que explicar.

9) Vamos a pedírselo. / Se lo vamos a pedir.

10) Acabo de pedírsela. / Se la acabo de pedir.

6 1) (te) [entiendo]　　2) (lo) [veo]　　3) (me) [llamas]　　4) (os) (la) [regalo]

5) (te) (lo) [doy]　　6) (se) (la) [digo]

7) (la) [tiene que dejar]　※日本語から、2つ目の文の主語は usted と考えます。

8) (te) (lo) [compro]　　9) (te) [ayudo]　　10) (se) (la) [compra]

7 1) Me, te　　2) me, la　　3) Me, lo　　4) Me, te

5) se　　6) Os　　7) me, te, lo

8) nos, lo　※疑問文は ir a ＋原形ですが、それにこたえる方では現在形となっています。近い未来でかつ確定的なことは、現在形で述べることができます。

9) las　　10) Se, lo, se lo　　11) Te, los, Me, los

12) Me, te, lo, lo, Lo

※ 最後の lo は中性の lo です。残念に思っている（＝「ごめんね」）のは、「今は貸せない」という抽象的なことなので、性別がありません。

※ ¿Me vas a prestar…? のように、ir a ＋原形の疑問文でたずねると、少していねいな言い方になります。

8 1) 君はいつも私の話を聞いてくれる。感謝しているよ。

2) 私はスペイン語のクラスの宿題がある。でもやりたくない。

3) その男の子はとてもかっこいいね。彼と知り合い？

4) この（これらの）雑誌は持って行こうか？

5) このパエーリャはとてもおいしい。ここに置いておくね。

9 1) Este ordenador es barato. Lo compro.

2) Quiero esta ropa pero mi padre no me la regala.

3) Aquel coche es muy caro. No podemos comprarlo. (No lo podemos comprar.)

4) Mi copa está ahí. ¿Me la puede traer? (¿Puede traérmela?)

5) Sé la verdad pero no debo decírsela (no se la debo decir).

練習 8

1 1) (Me) [gusta]   2) (Me) [gustan]   3) (le) [gustan]

4) (le) [gusta]   5) (Nos) [gusta]   6) (Os) [gusta]

7) (les) [gusta] ※ この文の主語は動詞原形の beber, cantar y bailar となりますが、動詞原形はいくつ重ねても 3 人称単数扱いとなります。

8) (les) [gusta]   9) (les) [gustan]   10) (me) [gusta] (te) [gusta]

11) (le) [gustas]   12) (nos) [gustan]   13) (os) [gustan]   14) (les) [gustan]

15) (os) [gusta]

2 1) (Me) [duele]   2) (le) [interesa]   3) (le) [apetece]

4) (nos) [parece] ※主語は Eso です。   5) (os) [parece]   6) (les) [encantan]

7) (Te) [duele]   8) (me) [parecen]   9) (me) [apetece]   10) (nos) [importan]

11) (te) [parece]   12) (Me) [cuesta]   13) (nos) [encanta]   14) (Me) [alegra]

15) (Le) [importa]

3 1) (Te) [gusta]   Sí, me encanta.   2) (Te) [apetece]   Sí, me apetece (ir).

3) (me) [parece] (te) [parece]   A mí, también.

4) (me) [cuesta]   A mí, tampoco.

5) (me) [importa]   A mí me importa mucho. / A mí me parece muy importante.

4 1) ホルヘはこの女の子が好きだ。

2) 私は音楽を聞いて踊るのが大好きだ。

3) もしこのマンションに 2 つ寝室がなくても私は構わないよ（それは私には不快感を与えない）。

4) 今晩私と晩ごはんを食べない？

5) このワインはチリ産で、とてもいいものです。よろしいですか？

※ ¿Le parece bien (a usted)? と解釈し、ていねいな表現で相手にたずねています。

5 1) Me encanta (Me gusta mucho) la cerveza de este bar.

2) Me duele la cabeza mucho.

3) ¿Te importa si fumo aquí? —No, no me importa.

4) Le interesa aprender francés.
5) Nos alegra hablar contigo.

練習 9

1
1) me levanto 2) te lavas 3) se afeita 4) nos bañamos
5) os ducháis 6) se llaman 7) se limpia 8) me explico
9) te alegras 10) os despertáis 11) nos dedicamos 12) se acostumbra
13) os casáis 14) se miran 15) se sienta 16) me pongo
17) me visto 18) os quitáis 19) te duermes 20) se acuestan
21) se van 22) me como 23) se conocen 24) nos queremos
25) se ven 26) me quedo 27) me marcho 28) se dan
29) me muero 30) nos ayudamos

2
1) (lavarse) [tú] 2) (llamarse) [yo] 3) (encontrarse) [tú]
4) (vestirse) [él など] 5) (morirse) [ellos など] 6) (sentarse) [nosotros]
7) (dedicarse) [él など] 8) (reírse) [ellos など] 9) (parecerse) [yo]
10) (irse) [vosotros]

3
1) levanta 2) se levanta 3) pongo 4) me pongo
5) quiere 6) se quieren 7) Voy 8) Me voy
9) encuentra 10) se encuentra 11) Separo 12) Nos separamos
13) se queja 14) me atrevo 15) se acuesta 16) me lavo
17) nos quitamos 18) nos escribimos 19) os marcháis 20) te dedicas

4
1) Antonio se la pone.
2) Mi abuelo se los bebe de una vez.
3) Nos lo llevamos.
4) Me la lavo.
5) Acabo de lavármela. / Me la acabo de lavar.
6) Vosotros os las dais.
7) Ustedes deben dárselas. / Ustedes se las deben dar.
8) ¿Vas a comértelo? / ¿Te lo vas a comer?
9) Tenéis que ponérosla aquí. / Os la tenéis que poner aquí.
10) No voy a quitármela. / No me la voy a quitar.

5
1) 私は普通夜の1時に就寝する。
2) 君は早朝5時に起きるんだ、いいね？
3) 私の両親はもう愛しあっていない。
4) 君たちは助け合わなくてはいけない。
5) 部長（課長、監督、など）は事務所にいらっしゃらない。
6) 私は化粧するのが好きだ。

7) 私たちは君と会えてうれしい。※ alegrarse de（動詞原形）で「〜してうれしい」です。この場合、動詞 ver に直接目的格の te がついて verte となっています。

8) 君はこの状況に不満を言うべきではない。

9) 私は自分のことを説明できているかな？

10) 私はスペイン語教育を仕事としている。

6　1) Nos vamos ya.

　　2) ¿Puedo sentarme aquí? / ¿Me puedo sentar aquí?

　　3) Si no te comes ese / el pescado, me lo como yo.
　　　　※ ... yo me lo como. でも十分に通じますが、me lo como yo. の語順の方が、「私が」が強く出ます。

　　4) Él no se lleva muy bien con sus padres.

　　5) ¿A qué te dedicas?

練習 10

1　1) algo, nada　　2) alguien, nadie　　3) algo　　4) alguien
　　5) nada　　6) nadie　※ algo, nada, alguien, nadie は3人称単数になります。
　　7) algo　　8) nada　　9) nadie　　10) alguien

2　1) algún, ninguno　2) alguna, ninguna　3) Alguno　4) algunos
　　5) alguna, ninguna　6) Alguna　　7) ningún　　8) ninguno
　　9) algunos　　10) ninguna

3　1) poco　2) poca　3) pocos　4) Pocas　5) un poco
　　6) poco　7) un poco　8) poco　9) un poco　10) apenas
　　11) Apenas　12) tampoco　13) también　14) Nunca　15) nunca

4　1) Tampoco me gustan las películas de horror.

　　2) Nadie va a venir.

　　3) No vuelvo a ver a aquella persona nunca.

　　4) No me interesa ninguno de esos chicos.

　　5) No conduzco mal tampoco.

5　1) Esto tiene algo que ver con el accidente.

　　2) Debes tirar alguna de estas revistas.

　　3) En estas vacaciones no quiero hacer nada.

　　4) Siempre nadie me ayuda. / Siempre no me ayuda nadie.

　　5) Ninguno de vosotros tiene que salir de aquí.
　　　　※ tener que に否定語がつくと、「〜しなくてよい」となります。

6　1) Alberto estudia matemáticas poco.
　　　　※ poco は動詞 estudia にかかる副詞で、matemáticas にはかかりません。

　　3) No me interesa esta novela de Haruki Murakami, tampoco. / Tampoco me

interesa esta novela de Haruki Murakami.

6) Alguno de nosotros no dice la verdad.

8) Pepe no habla a ninguno. ※ アクセントは不要です。

10) Ninguno de estos chicos está contento. ※ ninguno は 3 人称単数です。

7 1) その知らせは誰も好まない。

2) コンサートにはかなり少数の人しかいなかった。

3) ここ数年私はほとんど両親と会っていない。

4) 誰か助けてください、お願いします。

5) 私は決して君をだまさない。

6) 私はこの企業と何も関係ない。

※ tener algo / nada que ver con 〜で「〜と関係がある／ない」となります。

7) 何か悪いことが起きたの？

8) あの書店にはいつも何かしら面白い本がある。

9) 私の母はあまり食べない。

10) 私たちもパーティに行きたくない。

※ A nosotros が tampoco より前に出ていますが、tampoco は動詞の前にあるので問題ありません。tampoco が動詞よりも後ろに来ると、動詞以前に no などの否定語が必要になります。

8 1) (Él) Bebe poco.

2) Mi hijo tampoco quiere estudiar. / Mi hijo no quiere estudiar, tampoco.

3) Este libro apenas me interesa. / Este libro no me interesa apenas. / Este libro me interesa poco. / Este libro es poco interesante para mí.

4) En esta habitación hay pocas revistas.

5) Alguno de vosotros tiene que decírselo. / Alguno de vosotros se lo tiene que decir.

練習 11

1 | | | | |
|---|---|---|---|
| 1) más, que | 2) menos, que | 3) tan, como | 4) más, que |
| 5) menos, que | 6) tan, como | 7) más | 8) tan, como |
| 9) menos, que | 10) tan, como | 11) tan, como | 12) tan, como |
| 13) el, más, de | 14) la, más, de | 15) los, más, de | 16) la, más, de |
| 17) las, más, de | 18) más, que | 19) menos, que | 20) tantas, como |
| 21) más | 22) más, que | 23) tanto, como | 24) más, de |
| 25) menos, de | | | |

※ 18) 〜 22) は形容詞 mucho、23) 〜 25) は副詞の比較級不規則形としての más / menos / tanto となることに注意してください。

2 1) más   2) menos   3) mejor   4) más grande

5) mejores	6) mejor	7) mejores	8) mejor
9) mayor	10) peores, menor	11) peores	12) mejor
13) más pequeña	14) más grandes	15) el	16) las, más guapas
17) el, más caro	18) la, que, mejor	19) las, mayores	20) los, que, mejores

3
1) menor, que　　2) tanto, como　　3) los, mejores　　4) mejor, que
5) el, que, mejor　　6) más, que　　7) más, que　　8) el peor
9) la, que, mejor　　10) la, que, más

4
1) Soy más alto que Daniela.
2) Los pisos de ese barrio son menos baratos que los de aquí.
　※ los de aquí は los pisos de aquí の pisos を省略した形です。
3) Mi hermana mayor tiene más libros que mi padre.
4) Pedro tiene una casa más grande que la mía.
5) Miguel es menos pobre que Francisco.
6) Nosotros jugamos peor que vosotras.
7) Ese señor es peor persona que mi jefe.
8) Aquella biblioteca tiene tantos libros como esta.
9) Esta ventana es tan fácil de abrir como aquella.
10) La paella de aquí sabe tanto como la de nuestro restaurante.

5
1) Soy el más alto de la clase.
2) Patricia es la más alegre de la familia.
3) Tú eres el / la que más comes de la familia.
　※ mucho の比較級 más を用いた相対最上級にするため、動詞が変わります。「君は食べる」→「君が一番食べる人だ」のように、comer から ser になります。
4) Marisa y yo somos los / las mayores de este grupo.
5) Usted es el / la que más sabe de francés de esta universidad.
6) Eres la peor persona del mundo.
7) Juana es la que mejor conduce de nosotras las cuatro.
8) Esta chica es la menor de la clase.
9) Mi hijo es el que peor baila de esa escuela de baile.
10) En esta cafetería sirven el mejor café de esta zona.

6
1) muchísimo　2) cortísimo　3) bajísimos　4) dificilísimo　5) larguísimo
6) limpísima　7) poquísimo　8) blanquísimas　9) amabilísimo　10) imposibilísimo

7
1) このバッグはそのバッグより高くない。
2) ダニエルは君より年上だ。
3) 君はこのクラスで一番スペイン語を話すのがうまい。
4) この本はとても簡単だ。

5) 赤川次郎ほど小説をたくさん書ける人はいない。

8 1) Almudena está más cansada que Nina.
2) Usted tiene tantas joyas como yo.
3) Aquí hay menos de cincuenta personas.
4) La casa de Andrés es mejor que la nuestra.
5) Pablo es el que más estudia de mis hermanos.

9 1) Esta casa es más grande que la mía.
2) Él tiene más de veinte años de edad.
3) Yo soy el / la que menos como de la familia.
4) Este restaurante italiano es el mejor de Tokio.
5) Yo no tengo tantas revistas como tú.

練習 12

1 1) hace   2) llueve   3) Estamos   4) Es   5) está
6) Son   7) nieva   8) es   9) Estamos   10) Hace

2 1) 10 時です。
2) 1 時 10 分です。
3) 11 時半です。
4) 5 時 3 分前です。
5) 12 時ちょうどです。
6) 午前 1 時 20 分です。
7) 午後 4 時 15 分前です。／午後 3 時 45 分です。
8) 9 時 23 分です。
9) 1 時 10 分前です。／ 12 時 50 分です。
10) 夜 10 時 15 分です。
11) 午前 2 時半です。
12) 午後 1 時 15 分です。
13) 7 時 7 分前です。
14) 3 時 13 分です。
15) 4 時 14 分前です。
16) 午前 5 時 26 分です。
17) 1 時ちょうどです。
18) 午後 6 時 8 分です。
19) 午前 8 時 18 分です。
20) 夜 11 時 12 分前です。

3 2) ¿A qué hora empieza el partido?
3) Son las cinco y diez en Canarias.

5) Es la una de la tarde.
8) Vamos a estudiar más este otoño. ※ en を取ります。
10) Está despejado. ※ 元の文も文法的には間違いではありませんが、「私たちは目が覚めて晴れやかな気分です」と別の意味になります。

④ 1) ここは夏あまり暑くない。
2) 今日は晴れている。
3) その地域では全く雪が降らない。
4) 今日はあまり寒くない。
5) 今週はとてもいい天気だ。
6) この6月は去年ほど雨が降らないだろう。
7) 今日は昨日より風がある。
8) この冬は去年ほど寒くない。
9) 早朝3時半です。
10) 打ち合わせは夜8時に終わります。
11) 月は何時に出ますか？
12) 7時20分です。
13) 今日は30日です。
14) 失業して長い時間が経っている。
15)「今日は何曜日？」「分からない」

⑤ 1) ¿Qué hora es? / ¿A qué hora estamos?
2) ¿A cuántos estamos hoy?
3) ¿Qué día de la semana es hoy?
4) ¿Qué tiempo hace hoy? / ¿Cómo es el tiempo de hoy?
5) Son las ocho en punto ahora. / Estamos a las ocho en punto ahora.
6) Son las cuatro menos cuarto de la mañana ahora. / Estamos a las cuatro menos cuarto de la mañana ahora.
7) Hace diez años que estudio español.
8) ¿A qué hora termina la reunión?
9) Esta primavera hace mal tiempo.
10) ¿A qué hora quedamos?

練習 13

1
1) hablé	2) cantaste	3) esperó	4) quitamos	5) mirasteis
6) estudiaron	7) comí	8) entendiste	9) llovió	10) comprendimos
11) volvisteis	12) conocieron	13) viví	14) escribiste	15) cubrió
16) salimos	17) abristeis	18) imprimieron	19) vio	20) jugué
21) conté	22) paramos	23) debiste	24) leyó	25) oyeron

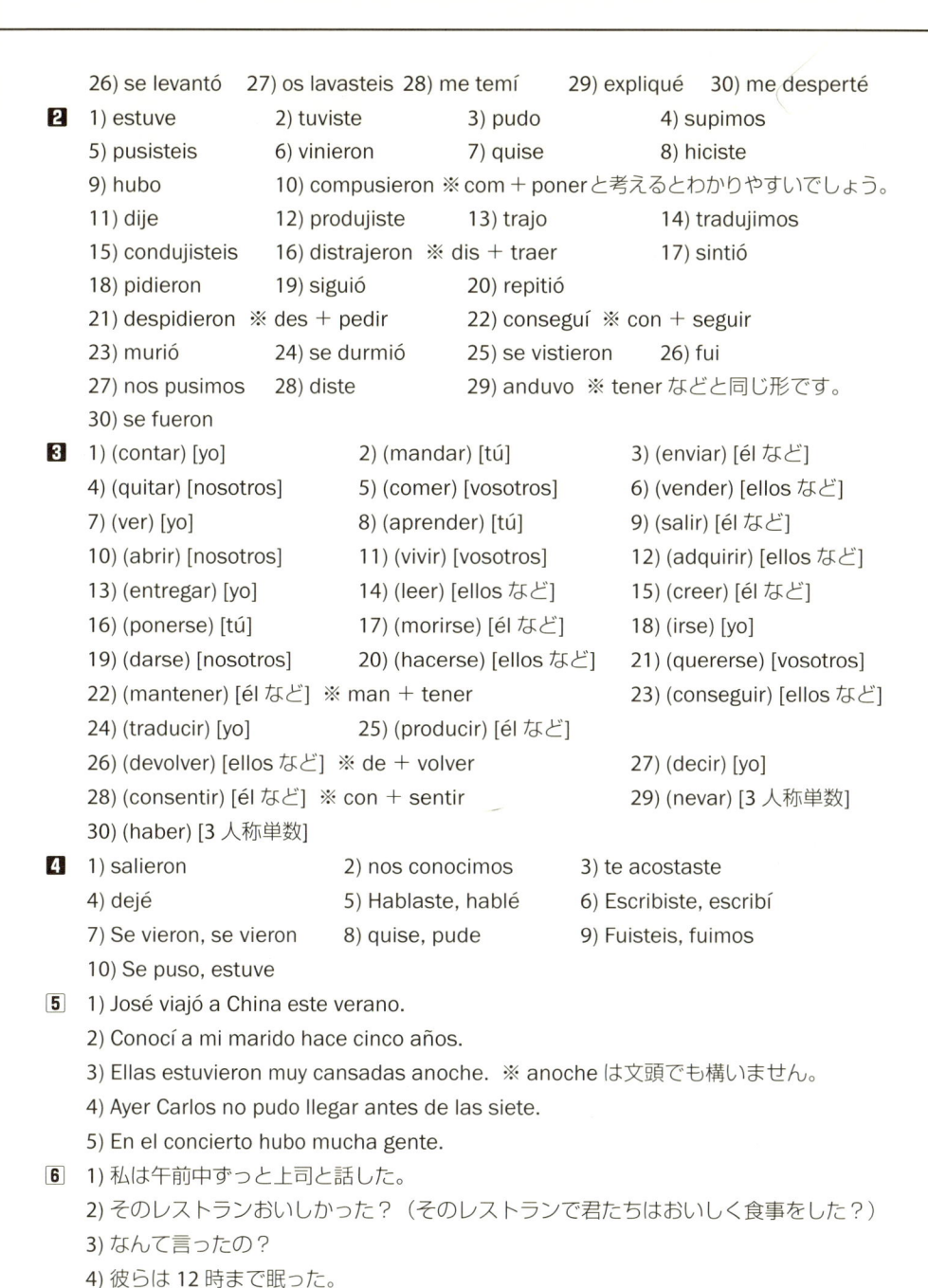

26) se levantó 27) os lavasteis 28) me temí 29) expliqué 30) me desperté

2
1) estuve 2) tuviste 3) pudo 4) supimos
5) pusisteis 6) vinieron 7) quise 8) hiciste
9) hubo 10) compusieron ※ com ＋ poner と考えるとわかりやすいでしょう。
11) dije 12) produjiste 13) trajo 14) tradujimos
15) condujisteis 16) distrajeron ※ dis ＋ traer 17) sintió
18) pidieron 19) siguió 20) repitió
21) despidieron ※ des ＋ pedir 22) conseguí ※ con ＋ seguir
23) murió 24) se durmió 25) se vistieron 26) fui
27) nos pusimos 28) diste 29) anduvo ※ tener などと同じ形です。
30) se fueron

3
1) (contar) [yo] 2) (mandar) [tú] 3) (enviar) [él など]
4) (quitar) [nosotros] 5) (comer) [vosotros] 6) (vender) [ellos など]
7) (ver) [yo] 8) (aprender) [tú] 9) (salir) [él など]
10) (abrir) [nosotros] 11) (vivir) [vosotros] 12) (adquirir) [ellos など]
13) (entregar) [yo] 14) (leer) [ellos など] 15) (creer) [él など]
16) (ponerse) [tú] 17) (morirse) [él など] 18) (irse) [yo]
19) (darse) [nosotros] 20) (hacerse) [ellos など] 21) (quererse) [vosotros]
22) (mantener) [él など] ※ man ＋ tener 23) (conseguir) [ellos など]
24) (traducir) [yo] 25) (producir) [él など]
26) (devolver) [ellos など] ※ de ＋ volver 27) (decir) [yo]
28) (consentir) [él など] ※ con ＋ sentir 29) (nevar) [3人称単数]
30) (haber) [3人称単数]

4
1) salieron 2) nos conocimos 3) te acostaste
4) dejé 5) Hablaste, hablé 6) Escribiste, escribí
7) Se vieron, se vieron 8) quise, pude 9) Fuisteis, fuimos
10) Se puso, estuve

5
1) José viajó a China este verano.
2) Conocí a mi marido hace cinco años.
3) Ellas estuvieron muy cansadas anoche. ※ anoche は文頭でも構いません。
4) Ayer Carlos no pudo llegar antes de las siete.
5) En el concierto hubo mucha gente.

6
1) 私は午前中ずっと上司と話した。
2) そのレストランおいしかった？（そのレストランで君たちはおいしく食事をした？）
3) なんて言ったの？
4) 彼らは 12 時まで眠った。
5) 昨日はとても寒かった。

6) 君たちはもうオフィスを出ることができたかい？
※ conseguir ＋動詞原形で「～することができる」。「可能」ではなく「獲得」です。
7) 私は君に真実を言いにやってきた。
8) 私たちは手を洗えなかった。
9) この本は私が翻訳したのです。
10) ほんの少し前に亡くなった。

7　1) Me levanté a las seis.
2) Él volvió a casa a las doce de la noche.
3) ¿Con quién saliste anoche?
4) Nos conocimos hace ocho años.
5) Hubo más de diez personas en la reunión de ayer.

練習 14

1
1) estaba	2) escuchabas	3) contaba	4) sacábamos
5) llegabais	6) cortaban	7) bebía	8) podías
9) ponía	10) sabíamos	11) creíais	12) leían
13) pedía	14) decías	15) oía	16) salíamos
17) seguíais	18) repetían	19) ibais	20) veíais
21) eras	22) nos veíamos	23) me iba	24) eran
25) se llevaban	26) nos queríamos	27) mandabais	28) conducíamos
29) suponía ※ su ＋ poner		30) cantaba	

2
1) (enviar) [yo, él など]　2) (saber) [tú]　3) (pedir) [ellos など]
4) (ir) [nosotros]　5) (ser) [ellos など]　6) (ver) [vosotros]
7) (quererse) [vosotros]　8) (dormirse) [ellos など]　9) (verse) [nosotros]
10) (darse) [él など]

3
1) salíamos　2) ibas　3) estaba　4) dormía　5) éramos
6) iba　7) Eran　8) decías　9) deseaba　10) quería

4
1) nos conocimos, trabajaba　2) estaba, llegué　3) dijo, buscaba
4) eras, hablabas　5) dejaron, llevábamos　6) creíamos, estaba
7) enseñó, caminábamos　8) decían, tenía　9) hacía, vi
10) hacías, estaba

5　1) あの時は私はそのニュースを知らなかった。
2) 私が起床した時、父は出かけようとしていた。
3) 私は外国にいたので、映画館でその映画を見ることができなかった。

6　1) Antes la veía a menudo por aquí.
　　(Antes solía verla por aquí. / Antes la solía ver por aquí.)
2) Alberto vino a Japón cuando era estudiante de universidad.

3) Cuando Carlos volvió a casa, su esposa / mujer dormía.

練習 15

1
1) sentado	2) comido	3) sentido	4) echado	5) corrido
6) pedido	7) bailado	8) bebido	9) dormido	10) abierto
11) puesto	12) muerto	13) escrito	14) hecho	15) cubierto
16) vuelto	17) resuelto	18) visto	19) roto	20) frito

2
1) comida	2) sentado	3) bebidas	4) dormidos	5) pedido
6) abiertas	7) cubierta	8) hechos	9) visto	10) supuesto

3
1) contando	2) hablando	3) sabiendo	4) queriendo	5) saliendo
6) viviendo	7) mirando	8) siendo	9) abriendo	10) leyendo

11) creyendo　12) oyendo　※ creer, oír も leer と同じく、原形語尾 2 文字の直前が母音となるグループです。

13) durmiendo	14) muriendo	15) pudiendo	16) riendo	17) pidiendo
18) sintiendo	19) siguiendo	20) repitiendo		

※ seguir, repetir も sentir などと同じく、語幹母音変化する ir 動詞のグループです。

4
1) tomar	2) beber	3) pedir	4) abrir	5) cubrir
6) freír	7) oír	8) resolver	9) ser	10) ver
11) decir	12) caer	13) bajar	14) hablar	15) romper
16) morir	17) comprar	18) tener	19) salir	20) leer
21) dormir	22) ir	23) sentir	24) venir	25) decir
26) hacer	27) vivir	28) leer	29) ir	

30) descubrir　※ des + cubrir

5
1) José está comiendo en la cafetería.
2) Los niños están durmiendo en el sofá.
3) Alguien me está siguiendo. / Alguien está siguiéndome.
4) Ellos van saliendo de la casa.
5) ¿Sigues estudiando español?

6
1) Aquellas niñas dormidas son gemelas.
2) Te estoy pidiendo un favor.
　※ この文では、現在分詞を用いて進行形にすることで、Te pido un favor.（君にお願いをします）と直説法現在を使うよりも、相手（tú）に対しお願いする気持ちが強くなります。
3) ¿Está puesta la comida?
4) Todavía sigue hablando por teléfono con su novia.
5) ¿Por qué saliste corriendo?　※ 前置詞 a を消します。

7
1) この座っていらっしゃるご婦人は、ダニエラ・フェルナンデスさんとおっしゃいます。

2) 君は何を見ているの？
   3) このウェブページではクレジットカードなしで注文できますか？
   4) 私は課題を終えようとしている。
   5) 私は妻を愛し続けている。
8. 1) Me gusta la comida japonesa.
   2) Mi madre está leyendo un / el periódico. ※ 冠詞は un とすれば、どの新聞を指しているか書き手と読み手に共通の理解がなく、el とすればあると考えられます。
   3) Por lo visto no hay ventana rota.
   4) Te estoy hablando. / Estoy hablándote.
   5) Aquellos muchachos trabajan estudiando.

練習 16

1
1) he estado	2) has sacado	3) ha mirado
4) hemos pagado	5) habéis tenido	6) han aprendido
7) he podido	8) has muerto	9) ha venido
10) hemos salido	11) habéis dormido	12) han pedido
13) he resuelto	14) has dicho	15) ha abierto
16) hemos cubierto	17) habéis puesto	18) han roto
19) se han levantado	20) me he lavado	21) te has comido
22) nos hemos ido	23) os habéis olvidado	24) se ha acostado
25) me he muerto	26) ha devuelto	27) han descubierto
28) se ha hecho	29) nos hemos odiado	
30) ha descrito ※ de + escribir → describir		

※ haber ＋過去分詞に活用するものを「複合時制」といいます。著者個人、また多くの学習者の方の経験から、再帰動詞の複合時制の活用（nos hemos pasado など）には、慣れるのに大変時間がかかるようです。最初は活用表を自分で作成するなどして、それを見ながら繰り返し活用の練習をしてください。声に出して練習する場合は、初めのうちはゆっくりで構いません。また、主語をつけることを忘れないようにしましょう。

2
1) había hablado	2) habías bebido	3) había repetido
4) habíamos sacado	5) habíais comprendido	6) habían seguido
7) había frito	8) me había caído	9) se había vuelto
10) había abierto	11) había hecho	12) se habían escrito
13) se había ido	14) había dicho	15) había dejado
16) te habías llamado	17) se había muerto	18) habíamos tenido
19) habíais sido	20) nos habíamos salido	

3 1) ha hablado   2) Habéis ido   3) ha dicho   4) ha sido

5) hemos comido　6) has leído　7) han escrito　8) Me he quitado
9) se ha muerto　10) se ha vuelto

4 1) había empezado　2) había comido　3) habían hecho　4) había ordenado
5) habían abierto　6) habías regalado　7) había pedido

5 1) Hemos ido a Bilbao este año.

2) ¿Qué has hecho hoy?

3) He recordado muchas veces que habías cantado esa canción.
　※ cantaba → habías cantado となることに注意してください。「歌っていた」のは「思い出した」より前なので、直説法過去完了になります。これを、**時制の一致**といいます。

4) Esta mañana me he enterado de que me lo habías dejado.
　※ me lo has dejado → me lo habías dejado となります。

5) Me han dicho por fin hoy mis padres que había hecho muy bien.
　※ hice → había hecho となります。por fin hoy は文頭でも構いません。

6 1) 私はメキシコに行ったことは一回もない。

2) 君はもう宿題をした？

3) （彼は、彼女は、など）学校に行ってしまった。

4) 君は私に、彼女たちと話したといったね。

5) 彼らは私が帰ってきた時は行ってしまっていた。

7 1) Ya han terminado las vacaciones de verano.

2) Lo / Le he visto unas veces.　※直接目的格人称代名詞の lo を le で置き換えることがあります。これを leísmo といいます。

3) Hoy nos hemos levantado a las seis de la mañana.

4) Ya había empezado la reunión cuando llegamos.　※この llegamos は点過去です。

5) Él te ha dicho que no lo había hecho, ¿no?　※ ha dicho は dijo でも構いません。

練習 17

1 1) has estudiado / estudiaste　※現在完了は主にスペインで用いられます。

2) han estado　※ 回数の表現とともに用いられるので、現在完了とします。

3) me desperté　※「起きる」という行為は起きてしまえば終わり（＝完了）です。また、Esa mañana は現在を含まないので、現在完了ではなくなり、点過去となります。

4) hemos hecho / hicimos　　　　　5) pude

6) nos hemos visto　※回数の表現とともに用いられるので、現在完了とします。

7) sonó　　　8) saliste　　　9) supe　　　10) se enfadó

2 1) veía　※ 習慣なので線過去となります。

2) Empezó, salía　※「鳴り始める」のは一度鳴り始めてしまえば完了した行為なので点過去、「出ようとしていた」と「出る」行為は未完了なので、salir は線過去となります。

161

3) decía, escuché / escuchaba ※「言っていた」なので未完了と考えます。「聞かなかった」は「聞かないこととした」と考えられ、それは「聞かない」と決めた時点で完了する行為なので、点過去とします。ただ、「聞かなかった」を「聞いていなかった」と同じことと取れば、未完了なので線過去も可能です。

4) conoció, eran ※ conocer は「知り合いという状態である」ではなく「知り合う」という行為で、知りあってしまえば完了と考えて、点過去とします。ser は、知り合った時点で学生であり、その後も学生であるということは続くので、線過去となります。

5) entraron, estaba ※ cuando 節であっても、完了した行為は点過去で表します。entrar は「警察が入った」時点で完了するので点過去です。その時点で「男がいなかった」ので、estar は同時であることを示す線過去となります。

6) dije, tenías ※ decir は、言い終われば完了した行為なので点過去となります。言った時点では寝なくてはいけない（tener que dormir）ことは完了していないので、線過去とします。

7) Jugabais, erais ※ jugar は過去の習慣、ser は継続的あるいは未完了で、両方とも線過去となります。

8) pudo, estaba ※「合格できる」（poder aprobar）は合格できなかった時点で完了するので点過去です。できなかった時点で風邪を引いていたので、同時であると考え、estar は線過去となります。

9) hice, estaba ※ hacer は「しなかった」ことが完了しているので点過去、「何もしなかった」のと同時に「家にいなかった」ので、estar は線過去となります。

10) hacía, volviste ※ 帰ってくる行為は家に入れば完了なので、volver は点過去となります。他方、その帰ってきた時点と「しなかった」ことは同時なので、hacer は線過去となります。

3 1) había empezado　　2) ha empezado　　3) he ido　　4) he visto
5) nos habíamos visto

4 1) 私が家に帰ると、一人の男がそこにいた。
2) フェデリーコは学生の時、帰宅がとても遅かった。
3) 25 歳だった時、私はスペインに行った。
4) 彼ら（彼女ら、あなた方）が事務所を出た時、雪が降り始めた。
5) 彼らがバルに着いた時、もうバルは閉まっていた。
6) 彼らがダニエラのレストランに着いた時、すでにダニエラはレストランを閉めてしまっていた。
7) 私は、悪い成績を取ったので、今日先生と話さなくてはならなかった。
8) ルイスはたくさん飲んだのでひどく疲れていた。
9) ルイスは風が強くなったのでバルに入った。
10) その女の子は、彼氏に電話する時に緊張していた。なぜなら彼が彼女に怒っていた

からである。

5 1) Cuando salía Pedro de casa, empezó a llover.
   2) Cuando salí de casa, mis padres estaban enfadados.
   3) Cuando éramos jóvenes, viajábamos mucho.
   4) Me levanté porque el / mi hermano entró en la / mi habitación.
   5) Ella quería este diccionario pero los / sus padres ya habían comprado otro.

練習 18

1 1) es cerrada　日曜日ドアはハビエルによって閉められる。
   2) son cerradas　日曜日ドア（複数）はハビエルによって閉められる。
   3) fue cerrada　その日ドアはハビエルによって閉められた。
   4) fueron cerradas　その日ドアは私によって閉められた。
   5) va a ser cerrada　明日ドアは私によって閉められる。
   6) van a ser cerradas　明日ドアはハビエルによって閉められる。
   7) ha sido cerrada　今晩ドアはイサベルによって閉められた。
   8) han sido cerradas　今晩ドアはイサベルによって閉められた。
   9) es cerrada　毎日ドアはイサベルとマリーアによって閉められる。
   10) son cerradas　毎日ドアはイサベルとマリーアによって閉められる。

2 1) Alberto es respetado por mí.　アルベルトは私によって尊敬されている。
   2) Juana es respetada por nosotros.　フアナは私たちによって尊敬されている。
   3) La puerta fue abierta por mis padres.　ドアは私の両親によって開けられた。
   4) Esa tienda fue abierta por mis padres.　店は私の両親によって開店された。
   5) Una nueva tienda va a ser abierta en este barrio por Alejandro y tú.
      ある新しい店が、この地域にアレハンドロと君によって開店されるだろう。
   6) Ayer el nuevo presidente fue elegido (por ellos).
      昨日新しい社長が(彼らに)選ばれた。※このellosは新しい社長を選んだ人々ですが、
      彼らは特定されていないので、省略可能です。
   7) Ayer María fue elegida como la nueva presidenta.
      昨日マリーアは新しい社長として選ばれた。
   8) Ayer María y Juana fueron elegidas como nuestras jefas.
      昨日マリーアとフアナは、私たちの長として選ばれた。
   9) Su nuevo presidente es elegido directamente.
      その企業（など）の社長は直接選ばれる。
   10) Mañana su nuevo presidente va a ser elegido.
       明日その企業（など）の社長が直接選ばれる。

3 1) está ocupado　今社長はお忙しい。
   2) está ocupada　今社長（女性）はお忙しい。

3) están ocupados　今ホセとミゲルは忙しい。
4) están ocupadas　今アナとマリーアは忙しい。
5) estaban ocupadas　その時パトリシアとマリーアは忙しかった。
6) estuvieron ocupados　昨日パトリシアとミゲルは忙しかった。
7) voy a estar ocupado/a　来週私は忙しくなる。
8) van a estar ocupadas　来週彼女らは忙しくなる。
9) está ocupado　今この場所は埋まっている。
10) estuvieron ocupadas　昨日これらの部屋は埋まっていた。

4 1) se habló
2) se habló / se hablaron　※ 3人称単数とした場合、主語は誰でも当てはまる無人称となります。3人称複数とした場合、主語はラテン語とギリシア語になります。
3) se habla　　4) se habla / se hablan　　5) se va a romper
6) se van a abrir　※店を開ける人が決まっている以上、2) や 4) のように主語は誰でも当てはまるわけではなくなるので、las tiendas を主語として 3 人称複数になります。

5 2) Estoy cansado de ti.
3) El ladrón fue detenido por la policía.　※ Se detuvo el labrón. と por 以下をとってもいいですが、その場合は警察という行為主を示せなくなります。
5) Fue construido este edificio hace más de mil años.
　※ construido は建設されるという変化として捉えられます。

6 1) 私たちはとても心配している。
2) マリアーノとソラージャは少し前に別れたと言われている。
3) 「この記事は理解されるだろうか？」「この 2 つの部分はよく理解してもらえると思うよ」
4) 駅にはどうやって行くんですか？

7 1) Fue (Ha sido) prohibido fumar.
2) Me dijeron que José ya se había ido.
3) ¿Se oye algo?　※ 同じ「きく」でも escuchar は用いません。oír は意識しなくても耳に入ってくる場合、escuchar は意識を向けて聞いている（聴いている）場合です。
4) ¿Se puede pasar?　※ 通りたいのは「私」だと考えられ、yo を主語とすれば ¿Puedo pasar? でも問題ありませんが、¿Se puede pasar? と誰でも通用する se ＋ 3 人称にすることで、「私含め誰であっても通れるものですか？」とやや遠まわしな表現になります。

練習 19

1 1) cantaré　　　2) aprenderás　　3) repetirá　　4) nos lavaremos
5) os beberéis　6) se irán　　　　7) podré　　　8) habrás
9) habrá　　　10) podréis　　　11) sabré　　　12) tendrás

13) valdrá　　14) pondremos　　15) vendréis

16) contendré　※ con + tener　　17) diréis　　18) harán

19) se saldrá　　20) se sabrán

2 1) (hablar) [yo]　　2) (comer) [tú]　　3) (vivir) [él など]

4) (marcharse) [nosotros]　　5) (quererse) [vosotros]　　6) (morirse) [ellos など]

7) (vender) [nosotros]　　8) (ser) [vosotros]　　9) (estar) [ellos など]

10) (pedir) [yo]　　11) (saber) [ellos など]　　12) (haber) [vosotros]

13) (poder) [él など]　　14) (venir) [tú]　　15) (poner) [tú]

16) (valer) [nosotros]　　17) (decir) [yo]　　18) (hacer) [él など]

19) (dormir) [tú]　　20) (tener) [yo]

3 1) tocaría　　2) comerías　　3) escribiría　　4) pagaríamos

5) comprenderíais　　6) pedirían　　7) sabría　　8) podrías

9) cabría　　10) saldríamos　　11) vendríais　　12) tendrían

13) haría　　14) diría　　15) se dormirían　　16) se lavaría

4 1) (sacar) [ellos など]　　2) (volver) [tú]　　3) (pedir) [nosotros]

4) (tener) [vosotros]　　5) (salir) [yo, él など]　　6) (caber) [ellos など]

7) (poner) [tú]　　8) (decir) [yo, él など]　　9) (saber) [nosotros]

10) (hacer) [ellos など]

5 1) Terminaré　　2) podremos　　3) Habrá　　4) valdrán　　5) dirán

6 1) iría　　2) se pondría　　3) Sería　　4) pagaría　　5) gustaría

7 1) 私は日本語を勉強し始めようと思っている。　※直説法未来の主語が1人称の時、「未来」だけではなく実質上「意志」を表すことがあります。

2) 授業を終わりましょう。

3) 彼は（彼女は、あなたは、など）1時間後に起きてくるだろう。

4) すぐに分かるさ。（もう私たちはそれを見るだろう。）

5) 彼らは（彼女らは、あなた方は、など）忙しいのだろう。

6) それは私がやるよ、君はやらないで。

7) あとでコンサートどうだったか教えてね。

8) 私の母はいつも、私にすぐ子供ができるだろうといっていた。

9) 私たちはあなたに質問をさせていただきたいのですが。

10) 現金で払っていいですか？

8 1) Iremos al restaurante francés.　※ al は a ese でも構いません。

2) Estarás cansado / cansada también.

3) ¿Será verdad la noticia?

4) Tendrás que estudiar más.

5) ¿Podríamos reservar una habitación?

練習 20

1
1) habré ganado 2) habrás sabido 3) habrá salido
4) habremos ahorrado 5) habréis cogido 6) habrán venido
7) habrá dicho 8) habrás hecho 9) nos habremos vuelto
10) se habrán muerto

2
1) (enviar) [yo] 2) (conocer) [vosotros] 3) (pedir) [ellos]
4) (parar) [nosotros] 5) (poder) [tú] 6) (seguir) [él など]
7) (hacerse) [ellos など] 8) (volverse) [yo] 9) (cubrir) [vosotros]
10) (freír) [tú]

3
1) habrá sido 2) habrán escrito 3) habré hecho
4) habrá ido 5) habremos terminado

4
1) habría estado 2) habrías sido 3) habría venido
4) habríamos roto 5) habríais podido 6) se habrían despedido
7) habría leído 8) se habría visto 9) habríais abierto
10) se habrían puesto

5
1) (comprar) [ellos など] 2) (temer) [tú] 3) (dormir) [vosotros]
4) (tocar) [yo, él など] 5) (saber) [nosotros] 6) (seguir) [vosotros]
7) (decir) [ellos など] 8) (escribir) [tú] 9) (ver) [vosotros]
10) (leer) [nosotros]

6
1) habría cerrado 2) habría salido 3) habría contado 4) habría hecho
5) habrían descubierto

7
1) 私たちはこの仕事をすぐに終えていることだろう。
2) あの男性はいったい誰だったんだろう？
3) 今日私の息子たちはとてもたくさんの宿題をやったことだろう。
4) 今日の午後までは何もなされないだろう。　※ nada を主語とする受動文です。
5) 私の父は母が起きた時にはゴルフに行ってしまっていたことだろう。
6) ホセは、パブロはそれを望んでいないのに、コンチャに写真を見せてしまっていたのだろう。　※ パブロがそれを望んでいなかったのは過去ですが、見せてしまったと思われるのはそれ以前と考えましょう。
7) パトリシアは、彼女のお父さんがクローゼットからそれを出そうとした時にはすでにプレゼントを見つけて開けてしまっていたのだろう。

8
1) Habré visto la película mañana.
2) ¿Qué habrá hecho aquella mujer?
3) Ya habrían sabido la noticia cuando salió.

練習 21

1
1) Las revistas que están aquí son muy baratas.　ここにある雑誌は安い。

2) La revista que compré ayer es muy cara. 私が昨日買った雑誌はとても高い。
3) La revista en la que sale mi amigo es muy famosa.
   私の友だちが出ている雑誌はとても有名だ。
4) Esa novela que se vende mucho en esta librería es de Jorge Luis Borges.
   この本屋でよく売れているその小説は、ホルヘ・ルイス・ボルヘスのものだ。
5) La novela que encontró en la librería es de Jorge Luis Borges.
   彼がその本屋で見つけたその小説は、ホルヘ・ルイス・ボルヘスのものだ。
6) Este edificio donde trabajo yo es muy moderno.
   私が働いているこの建物は、とても近代的だ。
7) Las dos chicas que están ahí son las más jóvenes de esta oficina.
   そこにいる2人の女の子は、この事務所でもっとも若い。
8) Mi empresa está en este edificio, donde también hay supermercado, cafeterías, bares, etc. 私はこの建物で働いていて、ここにはスーパー、バルなどがある。
   ※関係詞の前に" , "（カンマ）がつく場合、非制限用法と呼びます。次の2つの文の違いに注目してください。
   　Los empleados que han trabajado mucho ganan mucho dinero.
   　よく働いた社員たちは、たくさんの金を稼いでいる。(あまり働いていない社員もいる)
   　Los empleados, que han trabajado mucho, ganan mucho dinero.
   　社員たち、彼らはよく働いたのだが、たくさんの金を稼いでいる。(皆よく働く)
9) Ese chico guapo con el que quiero hablar se llama Jesús.
   私が話をしたいそのかっこいい男の子は、名前をヘススと言います。
10) El hombre que estaba durmiendo en tu sofá era José.
    君のソファで眠っていた男はホセだ。
11) Era mía la maleta que vendió mi padre.
    父が売ったスーツケースは私のものだった。
12) Este pequeño país en el mapa, de donde viene Taro, es Japón. ／ Este pequeño país en el mapa es Japón, de donde viene Taro.
    この地図の小さな国、太郎はここから来たんだけど、それが日本だよ。／この地図のこの小さな国は日本で、太郎の出身地だよ。
    ※ 非制限用法です。
13) El que cocina en casa es José. 家で料理をするのはホセだよ。
    ※ 独立用法です。El que と男性単数になるのは、José が男性単数だからです。
14) Las que rompieron las ventanas eran María y Ana.
    窓を割ったのはマリーアとアナだ。
    ※ 独立用法です。María y Ana が女性複数なので、Las que となります。
15) Ayer Miguel habló con Mónica (,) a la que mi amigo había querido.

昨日ミゲルは、私の友だちが愛していたモニカと話した。（制限用法）／昨日ミゲルはモニカと話したが、そのモニカは私の友だちが愛していた人だ。（非制限用法）

2
1) 私が毎日読んでいるその新聞は、安い。
2) 私はこの40階以上ある建物で働いている。
3) そこにいる男性は、名前をトマス・ロンセーロという。
4) 私はこのスペインで買った靴が好きだ。
5) 私の事務所は、たくさんの人が出てきているその建物にある。
   ※「出てきている」は直説法現在で表現できます。
6) フランシスコがやったことはとても悪い。
7) 出ていった女の子たちはとても美しい。
8) 悪い成績を取った人々は満足していない。
9) 私はマリーアと結婚したが、彼女とは10年前から知り合いだった。
10) 今日私は15年前に買った家を売った。

3
1) Es bueno el restaurante que está ahí.
2) El hombre con el que habla Pilar se llama Luis.
3) El edificio donde (en que / en el que) trabajo (yo) está cerca del parque.
4) Era tuyo el pastel que José se ha comido hoy.
5) Mi marido que se había ido ha vuelto / volvió.

練習 22

1
1) hable	2) cantes	3) coma	4) bebamos
5) viváis	6) escriban	7) piense	8) encuentres
9) se pierda	10) durmamos	11) sintáis	12) pidan
13) ponga	14) tengas	15) haga	16) digamos
17) salgáis	18) conozcan	19) parezca	20) vengas
21) esté	22) seamos	23) vayáis	24) vean
25) sepa	26) des	27) haya	28) llegue
29) os queráis	30) se sientan	31) me muera	32) se dé
33) nos sentemos	34) crea	35) cree	36) puedan
37) prefiera	38) repitáis	39) te llames	40) busquemos

2
1) (estudiar) [nosotros]
2) (comer) [ellos など]
3) (escribir) [vosotros]
4) (pensar) [yo, él など]
5) (poder) [tú]
6) (preferir) [nosotros]
7) (salir) [ellos など]
8) (conducir) [vosotros]
9) (estar) [yo, él など]
10) (saber) [tú]
11) (irse) [ellos など]
12) (haber) [yo, él など]
13) (dejar) [vosotros]
14) (sentir) [vosotros]
15) (parecerse) [tú]
16) (verse) [nosotros]
17) (coger) [nosotros]
18) (buscar) [ellos など]
19) (despedirse) [él など]
20) (repetir) [tú]
21) (hablar) [nosotros]

22) (describir) [ellos など]   23) (parar) [vosotros]   24) (volverse) [él など]
25) (tener) [ellos など]   26) (llegar) [vosotros]   27) (sentarse) [ellos など]
28) (producir) [tú]   29) (morirse) [nosotros]   30) (vestirse) [ellos など]

3 1) hablara / hablase   2) comieras / comieses
3) viviera / viviese   4) cantáramos / cantásemos
5) bebierais / bebieseis   6) salieran / saliesen
7) cubriera / cubriese   8) volvieras / volvieses
9) lloviera / lloviese   10) tocáramos / tocásemos
11) abrierais / abrieseis   12) oyeran / oyesen
13) estuviera / estuviese   14) tuvieras / tuvieses
15) hubiera / hubiese   16) pudiéramos / pudiésemos
17) pusierais / pusieseis   18) hicieran / hiciesen
19) vinieras / vinieses   20) trajeran / trajesen
21) dijera / dijese   22) produjerais / produjeseis
23) pidiera / pidiese   24) despidieran / despidiesen
25) me vistiera / me vistiese   26) fuéramos / fuésemos
27) durmieran / durmiesen   28) se murieran / se muriesen
29) dieras / dieses   30) fuera / fuese

4 1) (tomar) [nosotros]   2) (coger) [ellos など]   3) (vivir) [tú]
4) (seguir) [vosotros]   5) (dormirse) [él など]   6) (ponerse) [yo]
7) (ir / ser) [ellos など]   8) (traer) [nosotros]   9) (venir) [nosotros]
10) (decir) [vosotros]   11) (estudiar) [nosotros]   12) (dar) [yo, él など]
13) (conducir) [tú]   14) (querer) [yo, él など]   15) (conocer) [yo, él など]
16) (verse) [vosotros]   17) (detenerse) [él など]   18) (introducir) [tú]
19) (leer) [yo, él など]   20) (sentarse) [yo]

5 1) haya contado   2) hayas bailado   3) haya bebido   4) hayamos podido
5) hayáis vivido   6) hayan dormido   7) hayáis escrito   8) nos hayamos visto
9) hayan dicho   10) se hayan vuelto

6 1) hubiera / hubiese esperado   2) hubieras / hubieses jugado
3) hubiera / hubiese aprendido   4) nos hubiéramos / hubiésemos querido
5) hubierais / hubieseis salido   6) hubieran / hubiesen muerto
7) hubieras / hubieses cubierto   8) hubiéramos / hubiésemos leído
9) hubiera / hubiese abierto   10) hubieran / hubiesen hecho

練習 23

1 1) vuelvas   2) volvieras / volvieses
3) estéis   4) estuvieran / estuviesen

5) nos moviéramos / nos moviésemos　　6) pudieras / pudieses

7) llevaras / llevases　　8) hubiera / hubiese encontrado

9) hubiera / hubiese gustado

10) se hubieran / hubiesen visto, hubiera / hubiese encantado

11) aparezcan　　12) se marcharan / marchasen

13) se hubieran / hubiesen ido　　14) entiendas

15) pidiéramos / pidiésemos　　16) hagas

17) digas

18) hablaras / hablases ※ en este momento（「今の時点」）とあるように、現在のことを述べている文ですが、Sería mejor（「いいかもしれない」）と遠慮がちに、直説法過去未来で述べています。これに合わせて、que 以下は hablaras と接続法過去となっています。仮に、主節を Será mejor（「いいだろう」）とするなら、que 節の動詞は hable となります。

19) saliera / saliese　　20) hubierais / hubieseis salido

2 1) necesites　2) hable　3) supiera　4) tenga　5) diera

3 1) viene　2) venga　3) nieve　4) nieva　5) quieras　6) quieres

7) sepas　8) encuentre ※主語は usted と判断します。　9) firme　10) diga

4 2) No creo que haya un restaurante cerca de aquí.

3) Aunque vengas, nunca te voy a hablar.

5) Busco un chalet que está por aquí, ¿sabe usted dónde está?

※ この場合、日本語から判断すると、探している家はどの家かすでに分かっている（事実ある、確定）ので、直説法とします。

5 1) 私は、君が私を理解してくれず残念に思う。

2) 君が課題を終えたか、疑わしいね。（私は君が課題を終えたか疑っている。）

3) 私たちは、子供たちが勉強を続けられるようにと働いていた。

4) 彼がまだ来ていないなんてありえない。

5) 私たちは2つ寝室のあるマンションを買いたかった。

6) 君が疲れているとしても学校に行かなくてはならないだろう。

7) アルムデナとサンティアゴが結婚したなんてありえないように思えた。

8) たとえ雨が降っていたとしても、私たちは出ていっただろう。

9) 上司は私に仕事を終えるまで家に帰るなといった。

10) 泥棒は警察に捕まらずに逃げおおせた。

6 1) Me alegro de que mi hermana menor se pudiera casar con José.

※ se pudiera casar は pudiera casarse / se pudiese casar / pudiese casarse でも構いません。

2) (Nosotros) Quisiéramos que se alegraran ustedes.

※ 丁寧表現は ra 形のみなので Quisiéramos となります。また、Nos gustaría としてもいいでしょう。se alegraran は、que 節の中の動詞なので se alegrasen と se 形にすることも可能です。

3) Busco a una persona que hable español.
　※ hable は pueda hablar としても構いません。なお、hable と pueda hablar の差はほぼありません。このように、日本語で「～できる」のようになる場合、つまり可能かどうかを問う時でも、poder ＋原形としないこともあります。また、Busco の後に直接目的語の前につく前置詞 a は、なくても構いません。4) も同じです。

4) Buscábamos a una persona que hablara español.
　※ hablara は、hablase / pudiera hablar / pudiese hablar でも構いません。

5) Vendrás otra vez cuando estés bien.
　※「調子がいい（estar bien）」かどうかは未来のことなので、接続法を用います。また、「また来てよ」は、次章の命令文を用いても言うことができます。

練習 24

1
1) habla	2) canta	3) come	4) entiende	5) vive
6) vende	7) ten	8) sal	9) pon	10) ven
11) haz	12) di	13) ve	14) sé	15) descansad
16) sentad	17) aprended	18) haced	19) dormid	20) venid
21) cierre	22) lave	23) comprenda	24) haga	25) venga
26) diga	27) miren	28) paren	29) beban	30) pongan
31) reciban	32) vayan	33) dejemos	34) compremos	35) volvamos
36) seamos	37) abramos	38) pidamos	39) repita	40) id
41) mueran	42) salga	43) cuenta	44) durmamos	45) sientan
46) toque	47) saca	48) vean	49) tengan	50) digamos

2
1) no bailes　2) no bebáis　3) no escriba　4) no canten
5) no comamos　6) no abras　7) no pida　8) no vuelvan
9) no encuentres　10) no durmáis　11) no llame　12) no laves
13) no salgáis　14) no vengan　15) no digas　16) no sirva
17) no tengamos　18) no habléis　19) no vayan　20) no veas

3
1) Cógela.　2) Escribidlos.　3) Cuéntela.　4) Mándenlo.
5) Levantémosla.　6) Aquí esperadme.　7) Díganla.　8) Apréndelo.
9) Veámoslos.　10) Póngalos ahí.

4
1) Cómpramelo.　2) Hacédselo.　3) Cómpresela.　4) Mándenmelos.
5) Pidámoselo.　※ 規則通りにすれば "Pidámosselo." となりますが、s が重なるので 1 つ落とした形が正解です。　6) Dádsela.　7) Envíenselos.
8) Enséñamelas.　9) Vendámoselo.　※ 5) と同様です。　10) Dígamelo.

5
1) Vete. 2) Escribíos. 3) Acuéstese. 4) Levántense.
5) Durmámonos. 6) Lávenselas. 7) Llévatela. 8) Póngaselo.
9) Compráoslos. 10) Quitémonosla.

6
1) No las comas. 2) No lo tiréis. 3) No lo fume.
4) No lo hagan. 5) No lo miremos. 6) No se la mandes.
7) No se lo digáis a nadie. 8) No se lo compre. 9) No se la vendan.
10) No se la contemos nunca. 11) No te muevas. 12) No os marchéis.
13) No se vaya. 14) No se levanten. 15) No nos hablemos más.
16) No te la laves. 17) No os lo quitéis. 18) No se las lleve.
19) No se lo pongan. 20) No nos las demos todavía.
21) No se duchen. 22) No nos durmamos. 23) No te los quites.
24) No os muráis. 25) No se los limpie.

7
1) Ten 2) se ponga 3) Hagan 4) Acostaos
5) Salgamos 6) paguen 7) Duérmete 8) nos veamos
9) Pedid 10) se vayan

8
1) tengáis 2) haga 3) aprobemos 4) esté
5) está 6) aparezcan 7) haya 8) hable
9) pueda / pudiera / pudiese 10) estuviera

9
1) fuera / fuese, estaría / estaba
2) tuvieras / tuvieses, harías / hacías
3) fueras / fueses, acompañaría / acompañaba
4) se pusieran / se pusiesen, sería / era
5) quedara / quedase, iríamos / íbamos
6) fuera / fuese, se habría / hubiera enfadado
7) supiéramos / supiésemos, habríamos / hubiéramos podido
8) habría / hubiera tapado
9) estuviera / estuviese, habría / hubiera ayudado
10) fueras / fueses, habríamos / hubiéramos invitado
11) hubiera / hubiese tenido, viviría / vivía
12) hubieras / hubieses ido, estudiarías / estudiabas
13) hubiera / hubiese estado, estaría / estaba
14) nos hubiéramos / hubiésemos conocido, nos llevaríamos / nos llevábamos
15) hubieras / hubieses descansado, estarías / estabas
16) nos hubiéramos / hubiésemos conocido, estaríamos / estábamos
17) se hubieran / hubiesen puesto, habría / hubiera habido
18) hubiéramos / hubiésemos tenido, habríamos / hubiéramos comprado

19) hubiera / hubiese nevado, habríamos / hubiéramos llegado
20) hubieras / hubieses dormido, habrías / hubieras sacado

10 1) 今晩はよく寝よう。
2) そのソファにお座りになって、楽になさってください。
3) ここで遊ぶな。公園に行け。
4) 私に会いに来るな。
5) 多分ホセは時間通りに着くことができただろう。
6) お黙りいただけませんか。
7) もし雨が降っていなかったら、散歩に外に出るのに。
8) もし今日の授業がなかったら、昨晩コンサートに行ったのだが。
9) もし君がドアを閉めていたら、私たちは警察に行かずにすんだんだ。
10) もし私たちが大学であんなに勉強していなければ、その会社で働くことはできなかっただろう。

数詞一覧

▶ 基数

0	cero	10	diez	20	veinte	30	treinta
1	uno/a	11	once	21	veintiuno	31	treinta y uno
2	dos	12	doce	22	veintidós	32	treinta y dos
3	tres	13	trece	23	veintitrés	37	treinta y siete
4	cuatro	14	catorce	24	veinticuatro	40	cuarenta
5	cinco	15	quince	25	veinticinco	50	cincuenta
6	seis	16	dieciséis	26	veintiséis	60	sesenta
7	siete	17	diecisiete	27	veintisiete	70	setenta
8	ocho	18	dieciocho	28	veintiocho	80	ochenta
9	nueve	19	diecinueve	29	veintinueve	90	noventa

100	cien	1.000	mil
101	ciento uno/a	2.000	dos mil
126	ciento veintiséis	3.523	tres mil quinientos veintitrés
200	doscientos/as	10.000	diez mil
300	trescientos/as	10.100	diez mil cien
400	cuatrocientos/as	20.794	veinte mil setecientos noventa y cuatro
500	quinientos/as	100.000	cien mil
600	seiscientos/as	100.614	cien mil seiscientos catorce
700	setecientos/as	200.000	doscientos/as mil
800	ochocientos/as	513.894	quinientos/as trece mil ochocientos/as noventa y cuatro
900	novecientos/as		
		1.000.000	un millón

＊一部性数一致するものがあるので注意しましょう。

▶ 序数

1番目の	primero/a/os/as		6番目の	sexto/a/os/as
2番目の	segundo/a/os/as		7番目の	séptimo/a/os/as
3番目の	tercero/a/os/as		8番目の	octavo/a/os/as
4番目の	cuarto/a/os/as		9番目の	noveno/a/os/as
5番目の	quinto/a/os/as		10番目の	décimo/a/os/as

＊ primero と tercero は、男性名詞単数の前でそれぞれ primer、tercer となります。

著者略歴

加藤伸吾（かとう・しんご）
関西外国語大学外国語学部講師。専攻は政治思想、スペイン地域研究。外務省専門調査員として二年間マドリーに在勤、スペイン国立遠隔教育大学（UNED）社会史・政治思想史学科博士課程修了。帰国後、関東圏の大学でスペイン語、スペイン史、スペイン現代政治の講義を担当、上智大学グローバル教育センター特別研究員を経て現職。単著論文「モンクロア協定と『合意』の言説の生成（1977年6〜10月）」（『スペイン史研究』27号所収）ほか。趣味はテニスで、ラファ・ナダル（スペイン）とフアン・マルティン・デル・ポトロ（アルゼンチン）のファンだが、フォームを真似してしまうので中々上達しない。スペイン語スラング例文とスペイン政治家の名言・迷言収集も。Twitter: shingokatou

---

スペイン語力養成ドリル2000題

2012年7月5日 第1刷発行
2014年6月30日 第5刷発行

著者 © 加 藤 伸 吾
発行者 　及 川 直 志
印刷所 　研究社印刷株式会社

発行所　101-0052 東京都千代田区神田小川町3の24
　　　　電話 03-3291-7811(営業部)、7821(編集部)
　　　　http://www.hakusuisha.co.jp　株式会社　白水社
　　　　乱丁・落丁本は送料小社負担にてお取り替えいたします。

振替 00190-5-33228　　Printed in Japan　　誠製本株式会社

ISBN978-4-560-08602-5

▷本書のスキャン、デジタル化等の無断複製は著作権法上での例外を除き禁じられています。本書を代行業者等の第三者に依頼してスキャンやデジタル化することはたとえ個人や家庭内での利用であっても著作権法上認められていません。

西検突破！　過去問を掲載，模擬試験つき

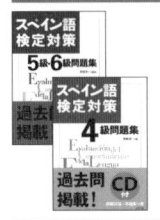

スペイン語検定対策 5級・6級問題集
スペイン語検定対策 4級問題集

青砥清一 編著

過去問を掲載した問題集．練習問題で実力アップ，模擬試験と過去に出題された単語集つき．この一冊で西検突破！
(5級・6級) A5判　166頁【CD付】／(4級) A5判　158頁【CD付】

これならひとりでも書ける！

解説がくわしいスペイン語の作文

山村ひろみ 著

作文ってひとりじゃ勉強できない？　この本なら一問一問じっくり解説，解答例もいろいろあるから大丈夫．2つの過去形も接続法も使いこなして，「らしい」スペイン語を書こう！
A5判　155頁

ナチュラルなスペイン語をあなたに！

スペイン語の落とし穴

エミリオ・ガジェゴ 著

ＴＶ・ラジオでおなじみの著者が，ナチュラルなスペイン語を伝授．日本人の学習者がつい使っちゃう表現に，実は落とし穴が．ネイティブの語感を単語ごとの読みきりで紹介します．
四六判　176頁

ベストの評価を受けているオールラウンドな西和辞典

現代スペイン語辞典（改訂版）

宮城 昇，山田善郎 監修

訳語を探すだけでなく，ニュアンス・語法・文化的背景にも踏み込んでスペイン語をより正しく，よりこまやかに理解できます．新アルファベット配列を採用．付録に詳しい文法解説．語数46500．
[2色刷] B6変型　1524頁